Theologische Studien 129

Begründet von Karl Barth
Herausgegeben von Eberhard Jüngel, Robert Leuenberger und
Rudolf Smend

Fritz Stolz

Psalmen im nachkultischen Raum

Theologischer Verlag Zürich

TVZ

CIP-Kurztitelaufnahme der Deutschen Bibliothek

Stolz, Fritz:
Psalmen im nachkultischen Raum / Fritz Stolz. – Zürich:
Theologischer Verlag, 1983. (Theologische Studien; 129: Forschung)
ISBN 3-290-17129-9
NE: GT

Inhalt

Zur Einführung

Die nachfolgenden Überlegungen wurden im wesentlichen 1977 niedergeschrieben, und zwar als vorläufige Bilanz verschiedenartiger Arbeit an den Psalmen. Ich hatte vor, zu einem späteren Zeitpunkt die angedeuteten Probleme weiter zu verfolgen.
Inzwischen habe ich die Disziplin gewechselt und lehre nicht mehr Altes Testament, sondern Religionswissenschaft. Meine hiesigen alttestamentlichen Kollegen regten die Publikation dieser Skizze an – vielleicht ergibt sich auch in dieser Form der eine oder andere Impuls für die wissenschaftliche und praktische Beschäftigung mit dem Psalter. Auf eine ausführliche Auseinandersetzung mit der Fachdiskussion ist verzichtet, es finden sich lediglich einige forschungsgeschichtliche Bemerkungen, welche dem weniger informierten Leser die Einordnung der behandelten Probleme in die exegetische Arbeit der jüngeren Vergangenheit gestatten sollen.
Natürlich ist der ursprüngliche Text nicht unverändert geblieben, sondern er hat in stilistischer wie in inhaltlicher Hinsicht manche Veränderung erfahren. Daß dabei die Perspektiven meines jetzigen Faches mehr in den Vordergrund getreten sind, erstaunt gewiß nicht. Der Text ist also einer »relecture« unterzogen worden – genau wie so viele alttestamentliche Psalmen (und dies ist eines der Themen dieser Arbeit). Trotzdem ist mir deutlich geworden (und wird hoffentlich auch dem Leser deutlich), daß die Arbeit an der Biblischen Theologie und die an der Allgemeinen Religionsgeschichte in ungestörter Nachbarschaft erfolgen kann.
Es liegt in der Natur der Sache, daß eine derartige Skizze Fragen und Lösungen nur andeuten kann. So führt sie auch nicht zu einem einlinigen und eindeutigen Schluß – sondern sie mündet in »Schlüsse« aus, die gezogen werden, die aber weiter auszuziehen wären.
Einzelne Probleme habe ich an anderer Stelle ausführlicher behandelt: Der 39. Psalm, WuD 13 (1975) 23–33; Erfahrungsdimensionen im Reden von der Herrschaft Gottes, WuD 15 (1979) 9–32; Psalm 22: Alttestamentliches Reden vom Menschen und neutestamentliches Reden von Jesus, ZThK 77 (1980) 129–148; Monotheismus in Israel, in: Monotheismus im Alten Israel und seiner Umwelt, hg. v. O. Keel, 1980, 143–189.

Zürich, April 1983   Fritz Stolz

I Der Kult und seine Krise

1. Kult: Definition und Abgrenzungen

Kult sei definiert als Umgang mit einer Wirklichkeit, der der Kultteilnehmer lebensschaffende, ordnungssetzende und sinnstiftende Kraft zuschreibt. Diese Wirklichkeit umfaßt einerseits ein dem Menschen Gegenübertretendes: das Heilige, den Gott – ein Element jedenfalls, das vom Menschen völlig unterschieden ist, das ihn in seinen Bann zieht, und dem er sich verdankt. Andererseits umfaßt sie die Gemeinschaft der Menschen, die an diesem Kult teilnehmen; keine künstliche Gemeinschaft, sondern eine natürliche Lebensgemeinschaft, die sich gerade im Vollzug kultischen Handelns konstituiert und ihrer selbst bewußt wird.

Wie bringt der Kult die von ihm erfaßte Wirklichkeit zur Darstellung, wie zeigt diese sich dem Menschen, der in ihr und von ihr leben soll? Der Kult bedient sich aller menschlichen Darstellungsmöglichkeiten: der Handlung, des Bildes, der Musik, der Sprache. Kult besteht zunächst aus einer Folge bedeutungsträchtiger Handlungen (Riten), in denen sich ein Geschehen abzeichnet. Neben diesem Handeln sind bildhafte Elemente zu beobachten, die visuell wahrgenommen werden; dabei ist nicht nur an Kultbilder im engeren Sinn zu denken, sondern auch an die Symbolik des Kultgerätes, der kultischen Anlagen, der Sakralbauten und schließlich der heiligen Geographie, mit welcher ein Volk seinen Lebensraum strukturiert. Sodann hat der Kult fast immer eine musikalische Komponente; die Musik hat in der Regel keineswegs nur untermalende Funktion für das Kultgeschehen, sondern sie ist ein eigenständiges Medium kultischer Wirklichkeitsdarstellung. Schließlich gehören oft auch Gerüche (Weihrauch!) und weitere sinnlich wahrnehmbare Elemente zum Kult. Seinen deutlichsten Ausdruck aber findet das Kultgeschehen in der Sprache, die den Vorgang benennt und deutet.

Für den heutigen Betrachter steht – jedenfalls im Umgang mit dem Kult vergangener Kulturen – der sprachliche Aspekt ganz im Zentrum, sind es doch schriftliche Dokumente, welche uns Aufschluß vermitteln über die damaligen kultischen Vorgänge. Aber die Sprache ist nur *ein* Darstellungselement, dessen Stellenwert im Einzelfall genauer zu bestimmen ist. Sie vermag die kultische Sinnstiftung am komplexesten und am differenziertesten auszudrücken, ist jedoch an emotionaler Reichweite anderen Darstellungsweisen wie Handlungen, visuellen Elementen und musikalischen Vorgängen gegenüber eher unterlegen. Es wäre verfehlt, eine Darstellungsweise gegen die andere auszuspielen, sie greifen ineinander (sind auch miteinander verschränkt, wie etwa Handlung und Musik im Tanz) und sind in ihren Intentionen aufeinander abgestimmt. Doch ist jedes kultische System durch eine bestimmte Hierarchie kultischer Darstellungsweisen geprägt, die zu erfassen Aufgabe der Kultforschung ist. Wer es mit dem Kult vergangener Kulturen zu tun hat, muß sich bewußt sein, daß die sprachlichen Relikte nur einen Aspekt der damaligen Ausdrucksformen des Kults darstellen.

Eine erste wesentliche Annäherung an diese Problematik des Kults im alttestamentlichen und überhaupt semitischen Bereich findet sich bei W. Robertson Smith. Einem Evolutionsmodell im Bereich des Religiösen verpflichtet, unterscheidet er zwischen »traditionellen« und »positiven« Religionen; zu letzteren zählt er das, was man gemeinhin »Offenbarungsreligionen« nennt, also Judentum, Christentum und Islam. Erstere sind durch unbewußte kollektive Triebkräfte geformt, letzere durch bewußte, von einzelnen Persönlichkeiten verantwortete Ideen.
Aufschlußreich ist nun insbesondere die Funktionsbestimmung des Kultes im Bereich der traditionellen Religion. Religion wird hier ganz als Aspekt der sozialen Ordnung verstanden, im Kult begegnet die institutionalisierte Form der Religion; er läßt sich mit anderen Institutionen der Gemeinschaft vergleichen. Der Kult ist in erster Linie ein praktisches System von Handlungen: »Gegenstand der Verpflichtung und verdienstlich war nur die genaue Ausübung bestimmter heiliger Handlungen, wie sie durch die religiöse Tradition vorgeschrieben waren. Wenn dem so ist, so folgt daraus, daß die Mythologie nicht die hervorragende Stellung einnehmen sollte, die ihr in der wissenschaftlichen Behandlung der alten Religionen oft zugewiesen wird ... Denn der Ritus war fest bestimmt, der Glaube an den Mythos aber stand im Belieben des Menschen« (Die Religion der Semiten, 1899, 13).
Damit hat Smith ganz zentrale Probleme formuliert. Er hat zunächst zwei Darstellungsweisen des Kultus voneinander gesondert: Handlung und Sprache (bzw. – so die später geläufige Unterscheidung – Ritus und Mythus); und er hat gleichzeitig eine Hierarchie festgestellt: In der traditionellen Religion hat die Handlung der Sprache gegenüber einen höheren Stellenwert. Nur angedeutet, nirgends explizit zum Ausdruck gebracht, ist eine daran anschließende These: Mit der Entwicklung zur »positiven Religion« kehrt sich die Hierarchie um: Die Sprache bekommt der Handlung gegenüber eine übergeordnete Bedeutung.
Die Problemstellungen von W. R. Smith sind insgesamt im Bereich der alttestamentlichen Forschung ohne größere Wirkung geblieben (viel stärkeren Einfluß hat er im Bereich der Religionssoziologie und -ethnologie ausgeübt); dies mag daran liegen, daß er in seiner Darstellung der semitischen Religionen die neu entdeckten Kulturen Mesopotamiens noch nicht verarbeitet hat.
Immerhin hat H. Gunkel die Wesensbestimmung des Kults von Smith übernommen. Er hält dafür, daß Kult zunächst aus einem System von Handlungen besteht (H. Gunkel/J. Begrich, Einleitung in die Psalmen,

8

1933, 12ff.; ähnlich auch andernorts, z. B. Die Psalmen, Reden und Aufsätze, 1913, 100). Diese Handlungen sind dann allerdings von sprachlichen Äußerungen begleitet; und wenn auch der Sache nach die Hierarchie der Darstellungsformen, wie Smith sie postuliert, von Gunkel akzeptiert wird, so richtet sich doch sein Interesse faktisch auf die Formung der sprachlichen Dimension des Kults, die Gattungen (dazu Abschnitt 2).

Der Kult vermittelt eine Zentrierung des Weltbildes; der Kultteilnehmer empfängt hier die bestimmenden Eindrücke, die ihn befähigen, die Welt als ganze zu sehen und als göttlich geordnet zu erfahren. Durch Handeln, Sehen und Hören wird er mit dem Kultgeschehen identifiziert; damit erhält er eine Orientierung, die emotional tief verwurzelt ist. Natürlich hat diese Orientierung aber auch ihre kognitiven Aspekte: Wer mit dem Kult vertraut ist, weiß Bescheid über die Mächte, welche die Welt bestimmen. Freilich ist dies kein Wissen, von dem sich der Kultteilnehmer distanzieren und das er unbefangen überprüfen könnte; vielmehr ist es ganz auf den Kultus und das gemeinschaftliche kultische Erleben hin zentriert.

Die kultische Darstellung der Wirklichkeit steuert die Alltagserfahrung in hohem Ausmaß. Ein Kultvorgang, der beispielsweise den jahreszeitlichen Wechsel oder die Pubertät eines Jugendlichen beinhaltet, ist für den Kultteilnehmer nicht Spiegel eines natürlichen Geschehens (wie dies der Betrachter unserer westeuropäischen Gegenwart wohl beurteilen würde), sondern dessen Motor.

Seine regulierende Funktion nimmt der Kult dadurch wahr, daß er der Welt eine Ordnung gibt, und zwar sowohl in ihrer naturhaften wie in ihrer sozialen Dimension. Die für die Kultgemeinschaft lebenswichtigen Naturvorgänge werden hier festgestellt und in Kraft gesetzt, und die für die Gemeinschaft wichtigen Elemente der Sozialordnung kommen gleicherweise zum Ausdruck. Im Kult erlebt der Mensch eine Welt, die in Ordnung ist – seine Erwartungen und seine Erfahrungen werden hier zu Deckung gebracht, das im Kult vermittelte Leben ist von Erfüllung und Harmonie gekennzeichnet. Von dieser lebensschaffenden Ordnung grenzt er die lebensgefährdende Unordnung ab. Kosmos/Chaos ist also – jedenfalls im Alten Orient – die kultische Grundunterscheidung (in anderen Regionen der Religionsgeschichte sind teilweise andere Akzente zu setzen).

Gewiß bleiben auch dem Menschen, der an einem solchen Kult teilhat, Erfahrungen nicht erspart, die der vom Kult gesetzten Lebensordnung widersprechen. Er erlebt Unglücke, in denen er lebensfeindliche Mächte am Werk sieht, Naturkatastrophen, Einfall von

Feinden usw. Um solche Fälle zu bewältigen, stehen wiederum kultische Vollzüge bereit, Klagerituale und ähnliches. Auch damit kann gewiß nicht jede dem Kult zuwiderlaufende Erfahrung aufgefangen werden; die Kraft des Kultus ist aber so lange ungebrochen, als die Durchschnittserfahrungen der Lebensgemeinschaft sich seiner Wirklichkeitsdarstellung insgesamt nicht entziehen.

Der Kultbegriff läßt sich differenzieren hinsichtlich der Art der Gemeinschaft, für die ein Kult verbindlich ist. Im Bereich der altorientalischen Hochkulturen ist der Kult zunächst *Reichskult*, d. h. der monarchisch organisierte Staat ist die soziale Bezugsgröße. Entsprechend ist das kultische Handeln primär auf diesen Staat bezogen, es konstituiert ihn und sichert ihn vor politischen wie naturhaften Gefahren. Daneben gibt es aber auch *Privatkult*, der sich im Raum der Familie abspielt und das Leben des einzelnen sichert. Zwischen beiden Arten von Kult bestehen mannigfaltige Wechselbeziehungen: Zum einen werden die privaten Belange oft am Heiligtum durch die am Tempel Bediensteten kultisch besorgt. In diesen Fällen ist der Privatkult sehr weitgehend in die Vollzüge des Staatskultes integriert. Oder der Privatkult wird zwar im Privatbereich des Betroffenen, aber durch einen Amtsträger des Tempels vollzogen; die Verbindung zwischen Privatkult und Staatskult ist durch die Person dessen, der die kultischen Handlungen vornimmt, gewährleistet. Doch auch in Fällen, in denen diese Bindung nicht offensichtlich ist, besteht sie dennoch: Der Staatskult, seine Götter und die von ihm ausgehenden Kräfte, eröffnen erst das Feld der privaten Lebensentfaltungsmöglichkeiten, die dann durch den privaten Kult wahrgenommen und gesichert werden.

Die Problematik des Privatkults bzw. der »persönlichen Frömmigkeit« ist erst in jüngster Zeit ins Blickfeld der altorientalischen und altisraelitischen Religionsforschung getreten; noch fehlen ausreichend durchdachte Modelle, welche das Zusammenspiel zwischen dem religiösen System der größeren Gemeinschaft und dem der Familie bzw. des einzelnen ausreichend zur Geltung bringen. Vgl. vorläufig Th. Jacobsen, The Treasures of Darkness, 1976, 145ff.; H. Vorländer, Mein Gott. Die Vorstellung vom persönlichen Gott im Alten Orient und im Alten Testament, 1975; R. Albertz, Persönliche Frömmigkeit und offizielle Religion, 1978.

Es gibt nun in den Hochkulturen des Alten Orients auch einen Wirklichkeitszugang, der von dem des Kultus unterschieden ist, und zwar die *Weisheit* (vgl. bes. H. H. Schmid, Wesen und Geschichte der Weisheit, 1966). Bereits die volksläufige, vor allem dann aber die in der Institution der Schule entwickelte Weisheit ist darauf aus, die Regeln und Ordnungen der Welt aufzuspüren und in sie einzuweisen; daß diese Regeln und Ordnungen ein Ganzes bilden, in dem sich der Gott ausspricht, und für das der Gott garantiert, ist zwar Voraussetzung und Hintergrund, aber doch nicht Zentrum weisheitlichen Bemühens; das Heilige ist ein Grenzfall der Weisheit. Die Sentenzen, Mahnungen, Warnungen der Weisheit lassen sich weder in ein geschlossenes System bringen – man kann ohne weiteres Sprüche, die sich widersprechen, beibringen – noch sind sie absolut gültig. Das Sprichwort qualifiziert und katalogisiert ja die bereits erlebte Situation; wenn einer seinem nächsten eine Grube gräbt, ohne selbst hineinzufallen (sicher kein seltener Fall), so wird das entsprechende (unpassende) Wort gar nicht erinnert. Die Weisheit ist also primär an der Alltagserfahrung orientiert, die sie differenzierend und distanzierend ordnet.

Natürlich sind kultischer und weisheitlicher Wirklichkeitszugang nicht gegeneinander auszuspielen; der einzelne wird sie in der Regel gar nicht als gegensätzlich empfunden haben. Kultus wie Schule prägen einen Typus des Zugriffs zur Welt aus, und im Alltag werden sich beide Typen als Interpretationsmuster der Wirklichkeit in einem gewissen Grad bewährt haben.

In der Diskussion hat es immer wieder eine Rolle gespielt, ob die Beschreibung des Kults primär auf einem allgemein gültigen Begriff des Kultus basieren oder sich speziell am alttestamentlichen kultischen Geschehen orientieren solle. Ein Beispiel für den erstgenannten Ansatz bilden die Arbeiten von S. Mowinckel, der insbesondere in seinem Werk »Religion und Kultus« (1953) den alttestamentlichen Kult aus einem phänomenologischen Überblick über den Kult schlechthin herausarbeitet. Seine Definition von Kult ist denkbar weit; es ist für ihn ein Grundaspekt von Religion überhaupt. Mowinckel bestimmt die Erscheinungsweisen des Religiösen als Kultus, Mythos und Ethos, als Gottesverehrung (und Gottesdienst), als Glaubensinhalt (Lehre) und Lebensführung (Moral). Damit sind religionswissenschaftliche Fragestellungen angedeutet, die durchaus aktuell sind: Eine Religion kann befragt werden hinsichtlich ihres Darstellungssystems, ihres Sinn- und Wertsystems und ihres Normensystems. Doch das Stichwort »Kultus« bedeutet bei Mowinckel weit mehr als nur eine Fragestellung: Er verbindet damit eine ganze Reihe inhaltlicher Festlegungen, die – in vielfältigen Variationen – für den Kultus überhaupt bestimmend sein sollen. Natürlich droht damit eine Nivellierung – eine Gefahr, die Mowinckel selbst sieht, der er aber entgangen zu sein glaubt.

Demgegenüber hat sich im deutschen Sprachbereich immer mehr die Tendenz durchgesetzt, die Beschreibung des israelitischen Kults ganz an den inhaltlichen Besonderheiten des alttestamentlichen Befunds zu orientieren. So legt etwa A. Weiser alles Gewicht darauf, daß der altisraelitische Kult seinen Ursprung im Sinai-Geschehen hat und es seine Funktion ist, jenes Ursprungs-Geschehen zu vergegenwärtigen (Zur Frage nach den Beziehungen der Psalmen zum Kult: Die Darstellung der Theophanie in den

Psalmen und im Festkult, Bertholet-Fschr., 1950, 513ff.). Auch H. J. Kraus betont in seinem Psalmenkommentar und der zusammenfassenden »Theologie der Psalmen« (1979) das spezifisch Israelitische der im israelitischen Kult wurzelnden Gotteserkenntnis, die sich vom »phänomenologischen Grundverständnis« des Kultischen abhebe (vgl. bes. das Kapitel »Theologie des Gottesdienstes« in der »Theologie der Psalmen«).

Die vorliegende Arbeit ist nicht an den Prämissen der klassischen Religionsphänomenologie orientiert: Sie postuliert nicht einen Kanon kultischer Vorgänge, Erfahrungen und Inhalte, die es überall nachzuweisen gälte, wo Kult vorkommt. Aber ebensowenig gilt es, den israelitischen Kult zu isolieren. So ist hier eine Annäherung an den altisraelitischen Kult versucht, die mit einem Arsenal genau abgegrenzter Fragestellungen und Begriffsbestimmungen arbeitet und sich dabei von der Voraussetzung leiten läßt, daß eine ganz analoge Annäherung auch kultischen Äußerungen anderer Kulturen gegenüber möglich ist. Erst so ist überhaupt religionswissenschaftlich vergleichende Arbeit möglich.

2. Die Hauptgattungen des alttestamentlichen Psalters und die ihnen zugrundeliegenden Kultvorgänge

Daß die Psalmen auf dem Hintergrund des alttestamentlichen Gottesdienstes zu betrachten sind, ist eine Grundvoraussetzung der neueren Psalmenexegese (vgl. H. Gunkel/J. Begrich, Einleitung in die Psalmen, 1933). Die Klassifizierung der Psalmen in »Gattungen« bedeutet nichts anderes, als daß die hauptsächlichen Kultvorgänge Israels rekonstruiert werden: Psalmen mit analogem sprachlichem und sachlichem Aufbau sind gewissermaßen Spiegel eines gottesdienstlichen Geschehens, das in konstanter sprachlicher Gestaltung seinen Ausdruck findet.

Gunkel war, wie bereits angedeutet, davon ausgegangen, daß der Kult zunächst aus einem Handlungsgefüge besteht, das von Worten begleitet ist. Dementsprechend ergibt sich für ihn die innere Ordnung der Psalmen durch eine Zuordnung zu bestimmten Handlungen; »Gattung« bedeutet also Zugehörigkeit eines Textes zu einem bestimmten Handlungsablauf, und die Frage nach dem »Sitz im Leben« einer Gattung zielt ebenfalls auf diesen handlungsmäßigen Kontext des Redens. Ich spreche von »Vorgängen«, welche durch den Kult vorgegeben sind und die Sinnvermittlung des Kults auf verschiedenen Ebenen zum Ausdruck bringen (Sprache, Handlung, Bild). S. Mowinckel hat Gunkel mit einem gewissen Recht den Vorwurf gemacht, er berücksichtige bei der Gattungsanalyse zu ausschließlich die stilistisch-sprachliche Gestalt der Texte und vernachlässige demgegenüber »kultfunktionale« Gesichtspunkte, d. h. er frage zu wenig hinter die sprachliche Oberfläche nach dem zurück, was hier als »Kultvorgang« bezeichnet wird (The Psalms in Israels Worship I, 1962, 31; ob freilich bei S. Mowinckel diese Arbeit in höherem Maße geleistet ist als bei Gunkel, bleibe dahingestellt). Das methodische Postulat ist jedenfalls klar: Die sprachlichen, handlungsmäßigen und bildhaften Elemente, die an einem Kultgeschehen zu beobachten sind, sind zu befragen auf die zugrundeliegenden Vorgänge, die sie bezeichnen. Der Kult ist dann angemessen beschrieben, wenn es gelungen ist, das System der Kultvorgänge zur Darstellung zu bringen.

Die Grundformen dieses kultischen Redens lassen sich bereits durch ganz einfache Unterscheidungen erfassen. Auf der einen Seite sind Gotteslob und Klage auseinanderzuhalten, auf der anderen Seite Psalmen, die einen einzelnen bzw. die Gemeinschaft als ganze betreffen. Daraus ergeben sich vier Grundformen des Redens – vier Elementarvorgänge, die sich im alttestamentlichen Kult abspielen. Der kultische »Normalvorgang« wird im Gotteslob der Gemeinschaft laut. Die Normalerfahrung Israels mit seinem Gott ist positiver Art: Die Schöpfung ist gut; Jahwe hat die Welt so eingerichtet, daß der Mensch (genauer: das Volk Israel) darin seinen Platz findet, daß die Natur wohlgeordnet ist; Jahwe sorgt für eine gerechte Form des Zusammenlebens in seinem Volke, d. h. er steht dem König bei in der Sorge für die Gerechtigkeit, so daß jeder erhält, was ihm zukommt; Jahwe schützt schließlich sein Volk gegen äußere Gefährdungen, er schreckt Feinde ab, hilft im Kriege und zeigt sich so als Herr der Geschichte.

Dies sind, wie gesagt, die »Durchschnittserfahrungen«. Natürlich hat es auch zuwiderlaufende Erfahrungen gegeben; aber der offizielle Kult hat eine große Fähigkeit, auch solche Ereignisse seiner Weltsicht einzuverleiben. Besonders deutlich wird dies beispielsweise in den Berichten altorientalischer Könige über ihre Kriege – da werden nur Siege geschildert, Niederlagen kommen nicht vor bzw. objektive Niederlagen werden als Siege dargestellt. Solche Berichte sind dann in ihrem Realitätsgehalt (nach den Kriterien des heutigen Historikers!) überprüfbar, wenn beide an einem Konflikt beteiligten Parteien ihre Version des Geschehens hinterlassen und beispielsweise Aegypter wie Hethiter vom glänzenden Sieg ihrer Könige bzw. Götter berichten. Die Ereignisse werden »übertrieben«, »gefärbt« – aber dies sind Urteile aus der Perspektive heutiger Geschichtsschreibung. Für den altorientalischen Menschen werden sie aus dem Blickwinkel der Staatsreligion, des Kultus, erfaßt. Und in dieser Sicht ist eben alles, was den Staat und die Gemeinschaft des Volkes nicht gerade in der Existenz gefährdet, unter die Kategorie des »Heils« subsummierbar.

Insofern ist der Hymnus in seinen verschiedenen Ausprägungen angemessener Ausdruck des normalen Gottesdienstes. Solange Friede herrscht oder wenigstens kein bedrohlicher Kriegszustand, solange im Innern die Ordnung aufrecht erhalten ist, solange die

Landwirtschaft einigermaßen funktioniert, kann das Gotteslob angestimmt werden. Gewiß hat der Hymnus vor allem an Festtagen seinen hervorragenden Platz – im Rahmen der großen Jahresfeste, im Rahmen des monatlich gefeierten Neumondfestes; daneben wohl auch am Sabbat, vielleicht sogar im Alltag; über die Festabläufe ist ja nur ganz wenig bekannt, und die mannigfachen Festhypothesen bleiben allesamt recht unsicher.

Natürlich kommt es vor, daß ein einzelner Mensch erfahren muß, daß diese im Kult sich manifestierende und normalerweise im Alltagsleben sich bewährende Lebensordnung ihn nicht trägt, daß sein Alltag gewissermaßen dem Hymnus widerspricht, so daß er nicht ins Gotteslob einstimmen kann. Mannigfache Gründe können zu dieser Erfahrung führen: Krankheit, sonstiges Unglück, Kinderlosigkeit, ungerechte Behandlung durch die Umwelt usw., im weitesten Sinne also Desintegration aus dem Bereich des Lebens und der Gemeinschaft. An diesem Ort ist ein zweiter kultischer Elementarvorgang beheimatet: die Klage des einzelnen. Sie hat das Ziel, den Leidenden wieder zurückzuführen in die Gemeinschaft des Lebens.

Der Aufbau der Klage des einzelnen zeigt diesen Vorgang recht deutlich. Zu seinen konstitutiven Elementen gehören zunächst Klage und Bitte, also einerseits eine Schilderung der Notlage, die aus der Gemeinschaft mit Gott und Menschen ausschließt, andererseits Adressierung dieser Not an Gott, der doch für diese Gemeinschaft garantiert. Ebenso typisch gehört zur Klage dann aber ein »Stimmungsumschwung«: Vertrauensbekenntnis mit anschließendem Gelübde eines Dankgottesdienstes oder Anstimmen des Gotteslobes.

Wie der Umschwung zustande kommt, ist nicht ganz sicher; die Hypothese eines die Klage beantwortenden Heilsorakels, das von einem Kultbeamten gesprochen wird, scheint mir noch immer am wahrscheinlichsten; viel wichtiger aber ist, *daß* der Umschwung zustande kommt, die Klage also aus dem Bereich des Unheils in den des Heils zurückführt und damit das Wiederanstimmen des Lobes möglich macht. Der Klagende wird durch den Kultvorgang ermutigt, den Schritt aus dem Bereich des Unheils in den des Heils zu vollziehen und in die Gemeinschaft des Lebens zurückzukehren; er beschreibt diesen Schritt im Vertrauensbekenntnis. Das Vertrauensbekenntnis hat vorwegnehmenden Charakter; es geschieht auf die göttliche Hilfszusage hin, bevor diese Hilfe sich wirklich realisiert hat. Das daran anschließende Gotteslob geschieht also gewissermaßen auf Vorschuß, das Gelübde des Dankgottesdienstes zeigt ganz deutlich, daß im Klagevorgang die endgültige Realisierung der Heilszusagen noch aussteht.

Nachdem sich die in der Klage des einzelnen angedeutete Rückführung in den Bereich des Heils wirklich realisiert hat, ist das Danklied am Platz. Es bedeutet die Erfüllung des Gelübdes, das manchmal am Ende der Klage erscheint. Die sprachliche Äußerung des Dankgottesdienstes setzt gern mit einer Selbstaufforderung zum Gotteslob ein – jetzt ist es nicht mehr Lob auf Vorschuß, sondern Lob aufgrund der erfahrenen Rettung. Der Rückblick auf die Not und die Befreiung entsprechen ganz dem, was in der Klage als Gegenwart zum Ausdruck kam. Die Tatsache, daß der Dankgottesdienst mit einem *zäbäḥ*-Opfer gefeiert wird, einem Opfer also, das mit einem Festessen der Familie verbunden ist und mit dessen Vollzug Gott und die Kultgemeinde in der Gemeinschaft des Mahles vereint sind, zeigt, daß die Heilsordnung nun wieder in vollem Ausmaß hergestellt ist.

Die bisher besprochenen Vorgänge setzen voraus, daß der Gemeinschaft als ganzer die Gültigkeit der Ordnungen Gottes selbstverständlich ist, daß das hymnische Reden also ungebrochen gilt. Aber auch der Gemeinschaft, dem Staat, werden widersprechende Erfahrungen natürlich nicht erspart. Naturkatastrophen – mangelnder Regen, Überschwemmungen, Heuschreckenplage usw. – oder Erschütterungen im Bereich des Politischen stellen die vom Kult dargestellte Ordnung in Frage. Auch diese Erfahrung wird wieder kultisch verarbeitet, und zwar in der Klage des Volkes. Sie entspricht weithin der Klage des einzelnen, Klage und Bitte finden sich als Hauptelemente ganz analog, und auch die Klage des Volkes scheint durch einen Kultbeamten beantwortet worden zu sein. Das auffälligste überschießende Element ist ein Rückblick auf die entschwundene Heilsordnung; es ist dadurch zu erklären, daß im Falle der Klage des einzelnen die Heilsordnung für die Gemeinschaft ja ganz unproblematisch ist und nur ein einzelner der Desintegration unterliegt.

3. Weitere Kultvorgänge im alten Israel?

In diese »Hauptgattungen« pflegt man den weitaus größten Teil der alttestamentlichen Psalmen einzuteilen. Aber natürlich gibt es andere Gattungen, die nur in wenigen Exemplaren vertreten sind; beispielsweise Kultlieder, die sich mit der Person des Königs beschäftigen. Diese Psalmen als »Königspsalmen« zusammenzufassen ist nicht legitim, zeichnen sich doch innerhalb der Königspsalmen ganz verschiedene Vorgänge ab; so müßte man unterscheiden: Königsfürbitte (Ps 20; 21; 72), bei der offenbar ein Kultfunktionär für den König eintritt, dessen Gebet wahrnimmt und gleichzeitig die Zusage Jahwes vertritt; Inthronisationspsalmen (2; 110), in welchen ein Kultfunktionär den König des Beistandes Jahwes bei der Thronbesteigung versichert; ein Hochzeitspsalm, in welchem ein Hofsänger die Herrlichkeit von König und Königin preist (45); eine »Regierungserklärung« des Königs, der seine Herrschaft nach dem Ordnungswillen Jahwes auszurichten gedenkt (101); schließlich ein Klagepsalm (89) und ein Dankpsalm (18) des Königs. Außerdem ist auf Ps 132 hinzuweisen, offenbar ein Begleitpsalm zu einem Prozessionsritual, in dem der König auch eine Rolle spielt.

Das zeigt, daß eine Reihe von kultischen Vorgängen die Gestalt des Königs im Zentrum haben, ohne daß die entsprechenden Gattungen in einer größeren Zahl von Exemplaren überliefert worden wären. Gewiß hatte im vorexilischen Kult Israels der König sowohl im Nord- als auch im Südreich eine zentrale Bedeutung – genauso, wie dies von den Königen der umliegenden Völker bekannt ist, und wie dies die Texte z. T. noch ganz deutlich werden lassen. Die relativ geringe Anzahl der Psalmen, die sich auf kultische Vorgänge mit dem König als bestimmender Figur beziehen, erklärt sich natürlich daraus, daß das Königtum als Institution mit dem Exil verschwindet. Für die vorexilische Zeit sind gewiß die Königsgattungen, ihrem sachlichen Gewicht für den kultischen Gesamtablauf entsprechend, als »Hauptgattungen« zu bezeichnen – aber im jetzigen Bestand des Psalters ist dies nicht mehr erkennbar. Eigentlich ist es geradezu erstaunlich, daß so viele Königspsalmen erhalten geblieben sind, obwohl Israel keinen König mehr hatte; wahrscheinlich verdankt sich die Beibehaltung der Königspsalmen weitgehend einer eschatologischen Neukonzeption des Königtums, d. h. die Psalmen werden im Hinblick auf einen kommenden, das endgültige Heil schaffenden König hin gelesen. Damit aber verlieren diese Psalmen ihren ursprünglichen Charakter als Kultlieder.

Zwei Problemkomplexe sind damit angeschnitten: Erstens stellt sich die Frage nach Gattungen, die möglicherweise in der Überlieferung nicht rezipiert wurden. Gibt es im alten Israel Kultvorgänge, die mit der Zeit vergessen oder verdrängt wurden? Und zweitens ist zu untersuchen, was aus dem kultischen Wirklichkeitszugang nach dem Zusammenbruch der Kultordnung (Verlust des Tempels, nationale Katastrophe des Exils usw.) wird. Leben die Kultvorgänge in veränderter Form fort? Was wird aus der Kultliteratur?

Zum ersten dieser beiden Themen ergeben sich aus dem Vergleich mit der Kultliteratur der benachbarten Umwelt einige Anhaltspunkte, wobei der ganz andere Überlieferungscharakter jener Literatur ja zu bedenken ist. Die Zeugnisse aus Israels Umwelt sind von der Archäologie zutage gefördert worden, geben also über ein viel ursprünglicheres Überlieferungsstadium der Texte Aufschluß als die israelitischen Texte, die einen Kanonisierungsprozeß durchlaufen haben.

Ein erstes und auffälligstes Unterscheidungsmerkmal stellt das Fehlen des kultischen Erzählens, also des Mythos, dar. Der Mythos macht die zentrale Gattung des Kults in Israels Umwelt schlechthin aus: Er gibt die primäre sprachliche Darstellung der vom Kult gesetzten Wirklichkeit. Das Gotteslob stellt demgegenüber gewissermaßen die Antwort dar: Auf das Erzählen der göttlichen Heilstaten im Kampf gegen die chaotischen Mächte folgt beispielsweise im babylonischen Weltschöpfungsmythos das Loben des Götterkönigs. Es ist eine offene Frage, ob Israel die Gattung des Mythos von Anfang an abgelehnt, oder ob es ihn erst mit der Zeit entmächtigt hat; die zweite Möglichkeit scheint mir die wahrscheinlichere, gibt es doch noch mannigfache Hinweise auf die ursprüngliche Existenz der Gattung im israelitischen Kult. Der Verlust der Gattung Mythos für das Kultgeschehen ist in seiner Tragweite nicht hoch genug zu veranschlagen. Der kultische Fundamentalvorgang, die unmittelbare Vergegenwärtigung des göttlichen Handelns, ist nicht mehr vorhanden.

Ähnliches gilt von der Gattung der Beschwörung, d. h. der vom offiziellen Kult aus sanktionierten magischen Bewältigung einer Störung im Lebensbereich eines Kultteilnehmers. Und schließlich ist aus dem alttestamentlichen Bereich keinerlei Omenliteratur erhalten, d. h. der Versuch, aus der kultischen Beobachtung merkwürdiger Konstellationen im Gang der Welt Orientierungshilfen für die Lebensgestaltung abzuleiten.

Auch hier ist die Frage, ob es diese Gattungen und die entsprechenden Kultvorgänge im alten Israel gegeben hat, schwer zu beantworten. Eine schnelle Verneinung mit dem Hinweis auf den Textbestand des ATs wäre aber gewiß voreilig.

Im einzelnen wird man alle diese Probleme nie mit Sicherheit beantworten können – es sei denn, auch für den israelitischen Kult würden eines Tages neben die biblisch überlieferten Texte auch archäologische Zeugnisse treten. Eins aber ist deutlich: Das im Psalter zu Tage tretende Gattungsgefüge stellt nur einen Ausschnitt der Vorgänge des altisraelitischen Kults dar, und zwar den Ausschnitt, der auch in der späteren – grob gesprochen: der nachexilischen – Zeit noch nachvollziehbar war.

Damit ist das zweite der oben aufgeworfenen Probleme berührt. Die Fortentwicklung der kultischen Vorgänge und der kultischen Literatur in einer Zeit, da der Kult grundlegend erschüttert und in seinem Zugang zur Welt im wesentlichen entkräftet ist, soll von nun an im Zentrum der Untersuchung stehen.

4. Die Krise des Kults und das Phänomen des »Nachkultischen«

Jedes kultische Handeln ist dann und wann widerlegt worden; das bedeutet, daß die Darstellung der Wirklichkeit durch den Kult sich nicht durchsetzen kann. Am deutlichsten wird dies, wenn im Alten Orient eine Stadt (und damit ein Staat) zerstört wird: Die Götter haben ihre Aufgabe, das Heil der Stadt zu sichern, nicht wahrnehmen wollen oder können. Die Städteklagen der mesopotamischen Frühzeit zeigen eine Verarbeitung derartiger Vorkommnisse. Es handelt sich dabei nicht um kultische Literatur, wenn man die oben gegebene Definition anwendet, sondern um religiöse Literatur »jenseits der Kultprinzips«. Das Unglück wird durch den Unwillen der fernen Schicksalsgötter erklärt, die normalerweise nicht in den Vordergrund treten. Die Götter, die sonst die schützenden, lebenserhaltenden Funktionen wahrgenommen hatten, sind »weggegangen«, sie erfüllen ihre Aufgabe nicht mehr.

Neben dieser Aufhebung der Kultordnung von außen gibt es natürlich auch die Infragestellung von innen. Die Ordnung des Kults, die Behauptung heilen Lebens, läßt sich ja nie vollständig verifizieren, sie bleibt ein Stück weit Postulat. Insofern besteht auch die Möglichkeit, die kultische Ordnung, wenn sie ihre selbstverständliche Gültigkeit verloren hat, zu bestreiten; ein eindrückliches Beispiel bietet die sog. »Hiob«-Literatur Mesopotamiens, in der es immer wieder darum geht, daß das Leiden eines Menschen nicht behoben wird, die Heilsordnung der Götter sich an ihm also nicht durchsetzt und die Normen ihre verbindliche Kraft so verlieren. In der Regel wird dann freilich versucht, auch diese Erfahrungen irgendwie in die vom Kult gesetzte Weltsicht zu integrieren – durch das Mittel der Reflexion, nicht mehr durch unmittelbare kultische Praxis. Ich möchte derartige Bemühungen als »nachkultisch« bezeichnen.

Die Infragestellung des Kults ist in *Israel* bereits in vorexilischer Zeit in einem Grade zu beobachten, wie dies in umliegenden Kulturen unbekannt ist. Sie ist am schärfsten in der Unheilsprophetie, wie sie sich seit dem 8. Jahrhundert ausbildet. Es ist zwar richtig, daß diese Propheten den Kult nicht rundweg ablehnen – oft genug argumentieren sie selbst in kultischen Kategorien. Aber sie stellen ihn doch grundsätzlich in Frage, wenn sie entscheidendes Handeln Jahwes in eine ferne Vergangenheit (z. B. Hosea) verlegen – Kult kennt nur vergegenwärtigte Vergangenheit –, oder wenn sie *das* entscheidende Handeln Jahwes (so alle Unheilspropheten seit Amos) in der Zukunft erwarten, und zwar in erster Linie als Unheils- und nicht als Heilshandeln. Man kann die Theologie dieser Propheten, soweit sie sich an kultischen Vorstellungen orientiert, als nachkultisch bezeichnen, obwohl natürlich zur selben Zeit in Israel Kult ungebrochen seinen Platz hat.

»Nachkultisch« ist also primär nicht als zeitlicher Begriff zu fassen, so daß also zuerst das Kultische, dann, jenes ablösend, das Nachkultische da wäre. »Nachkultisch« bedeutet die Verarbeitung der Erfahrung, daß die Wirklichkeitsdarstellung des Kults sich nicht halten läßt – und diese Erfahrung ist gegeben, seit es Kult gibt. Natürlich wird die Krise des Kults dann am deutlichsten, wenn der Kult von außen aufgehoben wird. Dies ereignete sich in Israel zunächst mit dem Fall des Nordreiches, dann, noch weit entscheidender, mit der Zerstörung des Tempels von Jerusalem und dem babylonischen Exil. Jetzt lag es vor aller Augen, daß von der unmittelbaren Gegenwart Jahwes, der ungebrochenen Durchsetzung seiner Heilsordnung und Gerechtigkeit, nicht mehr geredet werden konnte. Israel hat in nachexilischer Zeit offenbar nicht wieder – oder nur ganz partiell – zu ungebrochenem kultischen Reden zurückgefunden; die nachexilische Theologie ist, soweit sie von kultischen Denkformen geprägt ist (und das ist sie fast durchgehend), nachkultische Theologie.

Man könnte dem entgegenhalten, daß doch gerade in nachexilischer Zeit der Gottesdienst des Jerusalemer Tempels eine ganz außerordentliche Bedeutung bekommen hat. Aber bei näherem Zusehen zeigt es sich, daß die Funktionen dieses Tempeldienstes doch anders geartet sind als diejenigen des vorexilischen Tempels. Ein Hinweis ergibt sich schon daraus, daß das wichtigste Fest jetzt der Versöhnungstag ist, an welchem die Verfehlungen Israels gesühnt werden. Wichtigste Aufgabe dieses »Kultes« ist es also nicht, eine problemlose Lebensordnung zu schaffen; er rechnet mit einer gestörten Ordnung und bietet seine Kräfte dazu auf, diese Störung zu heilen – mit der selbstverständlichen Voraussetzung, daß diese Heilung nicht dauerhaft ist. Die Erschütterung des Exils war offenbar zu tiefgreifend, als daß das Verhältnis zwischen Jahwe und Israel je wieder als selbstverständlich gegeben hätte verstanden werden können.

Dazu kommt natürlich die Tatsache, daß der Bereich politischer und z. T. wohl auch sozialer Ordnungssetzung nicht als vom Tempel reguliert verstanden wird. Das politische Geschick liegt in den Händen ausländischer Großmächte und wird zu einem Bezirk mit eigener Gesetzlichkeit. Gewiß hat Jahwe auch Macht über jene Kräfte – auch die Propheten wußten ja davon zu reden, daß Jahwe über die Fremdvölker verfügt; aber dieses Wissen verdankt sich nicht unmittelbar kultischer Anschauung. So wird der Gottesdienst der nachexilischen Zeit zu einem isolierten Erfahrungsbereich, neben dem andere Erfahrungsbereiche stehen wie etwa der der Tora-Frömmigkeit, wo es um das Erfassen vergangener Offenbarung Jahwes geht.

Symptomatisch für diesen »nachkultischen Kult« nachexilischer Zeit ist auch die Art und Weise, wie er als Element der Geschichtsbetrachtung erscheint. In der Priesterschrift wird die Beschreibung des Tempels und der gottesdienstlichen Vorgänge in die Zeit Moses an den Sinaj zurückverlegt. In seiner eigentlichen Gestalt besteht dieser »Kult« nach der Beurteilung der Priesterschrift also gar nicht in der Gegenwart, sondern in der vergangenen Offenbarungszeit unter Mose und Aaron, und sein eigentlicher Ort ist gar nicht Jerusalem, sondern der Offenbarungsort Sinaj. Ursprünglicher Kult beinhaltet volle Gegenwart der Gemeinschaft von Gott und Mensch; hier jedoch erscheint er als vergangene Stiftung Jahwes, die nachvollzogen wird.

Auf der andern Seite finden wir im nachexilischen Schrifttum Visionen eines Kults im definierten Sinn des Wortes, der am Ende der Zeiten, wenn Jahwe seine Herrschaft durchgesetzt hat, da sein wird. Die Schlußkapitel des Ezechielbuches schildern einen endzeitlichen Tempel, von dem aus ein heilvolles Leben ganz Israels entspringen wird, auch in seiner natürlichen Dimension: Vom Tempel her wird der Ursprung eines Stromes erwartet, der das ganze Land befruchtet und sogar das Tote Meer lebendig macht. Es ist nicht sicher, ob und in welchem Umfang diese Vision Ezechiels eigenes Werk ist. Sollte sie außerhalb Palästinas verfaßt worden sein, dann stellte sie eine nicht erfüllte Hoffnung für die nachexilische Zeit dar; genauso gut ist aber denkbar, daß es sich um ein Produkt nachexilischer Zeit handelt, das die Existenz des zweiten Tempels durchaus kennt, mit dem *eigentlichen* Kult aber erst für die Endzeit rechnet.

Ähnliches gilt jedenfalls für die Gemeinde von Qumran. Sie hat sich vom »Kultbetrieb« des zweiten Tempels getrennt und hat ihr eigenes gottesdienstliches Leben. Für die Endzeit aber erwartet sie, wie die jüngst publizierte Tempelrolle deutlich macht, die Wiederherstellung des Kults im vollen Sinne. So läßt sich also gerade der Gottesdienst der nachexilischen Zeit im ganzen als »nachkultisch« charakterisieren. Daß es daneben auch noch – oder besser: wieder – kultische Wertung dieser Gottesdienstvorgänge gegeben hat, zeigt sich, wenn z. B. von der periodischen Rezitation der priesterschriftlichen Schöpfungsgeschichte der Bestand der Welt abhängig gemacht wird (vgl. H. P. Stähli, WuD 10, 1969, 121ff.) – diese Schöpfungsgeschichte ist damit, sicher im Gegensatz zu ihrer ursprünglichen Intention, zum Mythus geworden. Gab es in vorexilischer Zeit auch schon das Phänomen des Nachkultischen, so gibt es in nachexilischer Zeit auch noch das Phänomen des Kultischen.

Diese Ausführungen über »Kult« und das Phänomen des »Nachkultischen« sind strikt auf die Abgrenzungen zur Bedeutung von »Kult« im 1. Abschnitt bezogen. Wollte man dagegen Kult mir gottesdienstlichem Handeln, religiöser Darstellung usw. ganz allgemein gleichsetzen, so müßte unterschieden werden zwischen unterschiedlichen Funktionen und Leistungen, die der so verstandene Kult im Hinblick auf das Religionssystem als ganzes wahrnehmen kann. Wenn etwa S. Mowinckel erklärt hat, alle (oder wenigstens fast alle) Psalmen hätten ihren Sitz im Kult, so argumentiert er von einem sehr weiten Kultverständnis her: wenn dieser These im deutschen Sprachbereich widersprochen worden ist, so von einem engeren Kultverständnis her.

5. Kultpsalmen im nachkultischen Raum

Die bisherigen Überlegungen haben zu einem gewissen Widerspruch geführt: Zunächst wurden die Psalmgattungen als Äußerungsformen des altisraelitischen Kultus dargestellt – und dann wurde die nachexilische Zeit, also die Epoche, in welcher der Psalter gesammelt, redigiert und in seine kanonische Form gebracht wurde, als nachkultisch bezeichnet. Wie kann kultische Literatur in nachkultischer Zeit weiter benützt werden? Die Frage ist freilich zu einem Teil bereits beantwortet. Das Nachkultische löst das Kultische nicht einfach ab, sondern beide Größen bestehen nebeneinander. Es vollzieht sich nur eine Gewichtsverlagerung der Erlebnisqualität: während kultische (also durchschnittlich-vorexilische) Erfahrung die Wirklichkeit im Kult angemessen dargestellt sieht, zeigt sich nachkultischer (also durchschnittlich-nachexilischer) Erfahrung das Unangemessene dieser Darstellung. So gibt es also auch nach dem Exil ohne Zweifel kultische Erfahrung, damit die Möglichkeit, kultische Literatur aus dem vorexilischen Gottesdienst in ursprünglicher Weise weiterzubenützen. Andererseits ist es auffällig, daß viele Psalmen sich einer Zuordnung zu den klassischen Gattungen widersetzen. Die Gattungsforschung hat sich natürlich an den durchsichtig aufgebauten Psalmen orientiert, sie hat gattungssperrige Elemente in einzelnen Psalmen im Generalisierungsvorgang aus der Betrachtung (mit Recht) ausgeschaltet; auf diese Weise ist es dann zur Skizze der »klassischen« Gattungen gekommen, was als Rekonstruktion der einfachen, grundlegenden Kultvorgänge expliziert werden muß. Dieser Generalisierungsvorgang muß nun aber in der Analyse der Einzelpsalmen wieder zurückgenommen werden. Es ist bei jedem Psalm zu fragen, ob es sich wirklich um ein Exemplar einer kultischen Gattung handelt, ob sich die Redeformen der Dichtung also innerhalb der normalen Variationsbreite der Gattung bewegen, oder aber, ob der Psalm die Gattung in irgendeiner Weise sprengt, der kultische Vorgang also nicht mehr gewahrt wird. In diesem Falle hätten wir es mit eigentlich nachkultischen Psalmen zu tun, d. h. Psalmen, deren Reden durchaus noch Elemente der klassischen Gattungssprache aufweist, die im ganzen aber nicht mehr einer jener Gattungen zugeordnet werden können. Natürlich ist in diesem Fall weiter zu untersuchen, ob sich der betreffende Psalm als Umformung einer älteren kultischen Dichtung erweist (hier ist redaktionsgeschichtliche Arbeit am Platz), oder ob es sich um eine nachkultische Neubildung handelt.

Das Problem von Redaktionsgeschichte bzw. Nachinterpretation hat in der Forschung eine ganz unterschiedliche Rolle gespielt. Ein Element der Uminterpretation, das sich im Laufe der israelitischen Religionsgeschichte eingestellt und im Psalter seinen Niederschlag gefunden hat, ist seit der Zeit der »religionsgeschichtlichen Schule« immer wieder betont worden: die Eschatologisierung. Sie wird in verschiedenen Zusammenhängen beobachtet. Einmal betrifft sie die Königsideologie: Die Aussagen, die ursprünglich dem irdischen König gelten, werden im Zuge der Entwicklung in die Zukunft transportiert, und aus der Wertung, die man dem gegenwärtigen Herrscher zuschreibt, wird die Hoffnung auf einen künftigen Messias (vgl. insbes. H. Gressmann, Der Messias, 1929). H. Gunkel beschreibt die Umsetzung des Hymnus, der nicht mehr die gegenwärtige Schöpfung, sondern ein künftiges Geschehen preist (»eschatologisches Loblied«, vgl. bes. Einleitung in die Psalmen, 329ff.). S. Mowinckel schließlich sieht in den prophetischen Zukunftserwartungen insgesamt eine Projektion des Thronbesteigungsfestes Jahwes in die Zukunft (Psalmenstudien II, 1922, 228ff.). Ein anderes Moment der Uminterpretation ist in erster Linie in der französisch-katholischen Exegese herausgearbeitet worden: die »frömmigkeitli-

che« Psalmendichtung und -umdichtung. Im deutschen Sprachbereich hat
z. B. der Psalmenkommentar von A. Deissler diese Fragestellungen aufgenommen. Er geht auch davon aus, daß die Psalmen ihren Ursprung im Kult
haben, schenkt dann aber der Nachgeschichte seine besondere Aufmerksamkeit: »Die genaue – sehr mühselige – Analyse der uns erhaltenen Psalmen läßt erkennen, daß die exilische und vor allem die nachexilische Zeit
noch eine große Anzahl von Psalmen selbst hervorgebracht und andere in
einer Art »Wiederlesung« (französisch: relecture) von einem neuen Verste-
henshorizont her überarbeitet hat. Vorab jene Richtung der nachexilischen
Weisheitsschule, welche Jahwes Offenbarung als Hauptquelle der Weisheit
ansah, hat sich der Psalmendichtung zugewandt bzw. unter den Tempelsän-
gern ihre Anhänger gefunden . . . Wenn eines sicher ist, dann dies: Unser
Psalter ist das »Gesangbuch« der nachexilischen Gemeinde gewesen.« (Die
Psalmen, 1962, 17)
Neuerdings hat insbesondere W. Beyerlin in mehreren Arbeiten einzelne
Psalmen im Hinblick auf ihre Redaktionsgeschichte untersucht und – in der
Art der klassischen Literarkritik – literarische Schichtungen einzelner Psalmen auf Verse und Versteile genau bloßgelegt (vgl. ZThK 73, 1976, 1–
22.445–460; Festschr. G. Friedrich, 1973, 9–24; Werden und Wesen des
107. Psalms, 1979; Der 52. Psalm, 1980).
Alle diese Forschungsrichtungen sind primär an inhaltlichen Fragen interessiert; sie fragen nach neu hinzutretenden Gedanken und Vorstellungen,
auch nach den Kreisen, welche diese Inhalte entwickelt haben. Dabei
kommt aber die ursprüngliche Frage nach der Gattung, also der Verwendung und Leistung eines Textes, zu kurz, es wird nicht nach den in diesen
Texten sich widerspiegelnden Vorgängen gefragt.

Es kann im folgenden nicht darum gehen, die ganze Breite nachkultischer Psalmen zu beschreiben; die nachher gegebenen Beispiele
beschränken sich auf Psalmen des Typs, die in der bisherigen Psalmenforschung unter den Stichworten »Gattungsmischung« bzw.
»Mischgattung« und »Weisheitspsalmen« traktiert wurden.

6. »Mischgattungen« und »Weisheitspsalm«

Seit ihren Anfängen hat die Gattungsforschung bemerkt, daß viele
Psalmen sich den erarbeiteten Formgesetzen der einzelnen Gattungen entziehen. Dies ist z. B. schon dann der Fall, wenn eine individuelle Klage in der »falschen« Reihenfolge einhergeht, also die Klage auf Vertrauensbekenntnis und Lob folgt (z. B. Ps 40); steht hier
etwa die Desintegration des Klagenden am Ende, verfehlt die Klage
ihr Ziel also? Noch deutlicher wird das Problem, wenn verschiedene Gattungsmerkmale nebeneinander in der selben Dichtung erscheinen, so daß man dann von »Mischungen« redet; aber die »Mischung« ist ein Phänomen der Oberfläche der Gattungssprache.
Die kultischen Elementarvorgänge können nicht miteinander »ge-

mischt« werden, die Situation des Klagenden und der Kultvorgang, der ihm gilt, ist grundsätzlich anders geartet als die Situation des Geretteten.

Wie reagiert nun die klassische Gattungsforschung auf diese Situation? Ich beschränke mich auf die Darstellung der Problematik bei H. Gunkel, da die Psalmenforschung nach Gunkel dem vorliegenden Problem wenig Beachtung geschenkt hat und grundsätzlich über seine Position nicht hinausgekommen ist.

In der Erklärung der Mischgattungen setzt Gunkel anders an als in der Erarbeitung der genuinen Gattungen: »Die Herrlichkeit einer solchen Mischgattung besteht darin, daß der Dichter so die Mannigfaltigkeit der Stimmungen einer komplizierten Zeit mit voller innerer Wahrhaftigkeit auszusprechen vermag.« (Die Psalmen, in: Zur neueren Psalmenforschung, hg. v. P. A. H. Neumann, 1976, 19ff. [urspr.: Deutsche Rundschau 38, 1911, 241 ff.], S. 45. Hier rechnet Gunkel also nicht mehr mit *Volks*dichtung, sondern mit individuellen Dichtern, welche ihren Liedern ihre ureigene Prägung geben; die »kompliziertere Zeit« kennt offenbar die eindeutigen Kommunikationssituationen, in denen Gattungen ihren Ort haben, nicht mehr, die neu zu bewältigenden Vorgänge sind zu differenziert, als daß sie von der konventionellen Formensprache angemessen erfaßt werden könnten; so zwingt die »innere Wahrhaftigkeit« den Dichter zur Mischung von Redeelementen verschiedener Gattungen.

Ähnlich werden nun die »geistlichen Lieder« generell beurteilt (a. a. O. 46). Gunkel stellt fest, daß innerhalb der einzelnen Gattungen eine Modifikation der Intention zu beobachten ist; hinsichtlich des Hymnus beispielsweise bemerkt er bei einzelnen Gattungsexemplaren eine »gewisse *Abkehr vom Gottesdienst*« (a. a. O. 45) und stellt den Sachverhalt so dar: »Von kultischer Handlung ist hier keine Rede mehr, ja selbst die gottesdienstliche Gemeinde beginnt, dem Bewußtsein zu entschwinden. Hier bahnt sich etwas Großes an; die Religion befreit sich von Gottesdienst und Kirche; die Seele tritt vor ihren Gott.« (a. a. O. 46). Entsprechend findet sich in der »Einleitung in die Psalmen« der Begriff des »geistlichen Liedes« mehrmals (H. Gunkel/J. Begrich, Einleitung in die Psalmen, 1933, bes. 397ff.); in allen Fällen ist dargestellt, wie sich eine Psalmengattung von ihrem ursprünglichen Sitz im Leben ablöst und zum Instrument persönlich-individueller Dichtung wird.

Die Problematik dieser Beschreibung liegt auf der Hand. Wenn Gunkel für eine Gattung eine einheitliche Formensprache postuliert, in der ein spezifischer Schatz von Gedanken und Stimmungen realiziert sei, die in einem bestimmten gesellschaftstypischen Vorgang lokalisiert werden könne, so trifft für die Variante einer Gattung, die als »geistliches Lied« bestimmt wird, der zweite und der dritte Gesichtspunkt nicht zu. Die gattungstypische Formensprache ist zwar noch zu sehen, die Gedanken und Vorgänge, die sich im Psalm abzeichnen, stellen der ursprünglichen Gattung gegenüber jedoch etwas völlig Neues dar. Dabei ist freilich auch der Blickwinkel Gunkels ein neuer; jetzt geht es ihm nicht um die typische Verwendung eines Textes, um die damit verbundenen Rollen (Sprecher, Hörer), die darin sich abzeichnenden Vorgänge – es geht ihm um die religiöse Problematik des Schriftstellers, die unverwechselbaren Möglichkeiten eines individuellen Menschen, seine Freuden und Nöte vor Gott zu verarbeiten.

Es ist auffällig, wie wenig die hier entstehenden Fragen seit Gunkel weiterdiskutiert worden sind. Gunkel findet mehrfach unreflektierte Zustimmung; häufiger aber (besonders in neuerer Zeit) erscheint das »geistliche Lied« nicht einmal mehr als Problem. Dies ist insofern leicht verständlich, als unter dem Einfluß der dialektischen Theologie das religiöse Individuum nicht mehr Thema legitimer theologischer Besinnung sein konnte. Im Psalmenkommentar von H. J. Kraus beispielsweise fehlt das »geistliche Lied« Gunkels sowohl dem Ausdruck als auch der Sache nach.

Es ist lehrreich, zu beobachten, wie sich in der Problematik »Individuum und Gemeinschaft« methodische Fragestellungen und wertende Positionen der Exegeten verschränken. Wenn Gunkel die »Herrlichkeit« der Mischgattung bewundert, so entspringt dies der Hochschätzung des kreativen Individuums, des religiösen Genies; die methodische Frage nach der Verwendung eines Textes ist demgegenüber verstummt. Eine andere typische Position findet sich in der Arbeit von G. Quell (Das kultische Problem der Psalmen, 1925), die sich mit den hier zur Diskussion stehenden Problemen befaßt. Quell weist die eigentliche religiöse Erfahrung der persönlichen Frömmigkeit zu, und der institutionalisierte Kult ist für ihn demgegenüber eine abgeleitete Größe; er beinhaltet sinnlich wahrnehmbare, dingliche Verrichtungen und gibt damit dem frommen Erleben sichtbaren Ausdruck. Er ist der Gemeinschaft zugeordnet und bedarf der Organisation, ist damit den Institutionen des Priestertums und der Liturgie verbunden. Die kultischen Äußerungen müssen demnach immer darauf hin befragt werden, ob sie dem religiösen Erleben dienlich sind und es angemessen zum Ausdruck bringen, oder ob sie »leer laufen«. Darüber hinaus ist es möglich, daß sich das religiöse Erleben unmittelbar, ohne kultische Vermittlung, zum Ausdruck bringt. – Damit ist ein systematischer Standort, der im protestantischen Liberalismus seinen Ursprung hat, konsequent zur Geltung gebracht – auf Kosten der methodischen Fragestellungen nach Gattung, Sitz im Leben usw. Genau umgekehrt argumentiert S. Mowinckel. »Der Kultus ist nicht in erster Linie eine Privatangelegenheit des Einzelmenschen, sondern eine Gemeinschaftsangelegenheit. Hinter einem Kultus steht immer eine ›Gemeinde‹, die sein irdisches Subjekt ist«. (Religion und Kultus, 1953, 49). Dieser Satz gilt nicht nur für den Kult von Religionen schriftloser Kulturen, sondern genau so für den Bereich des Alten Testaments und das Christentum der Gegenwart. Im Bereich evangelischer Kerygma-Theologie konnte man diese Konzeption natürlich akzeptieren – wenn nur die Inhalte biblisch-christlichen Gottesdienstes scharf von anderen religiösen Botschaften geschieden wurden.

Die nächstliegende Frage, die an Gunkels Konzeption des »geistlichen Liedes« gestellt werden muß, ist die, ob die Betrachtungsweise, mit der die genuin kultisch verwurzelten Gattungen angegangen werden, nicht auch hier ihre Berechtigung hat. Warum soll nicht nach dem *Gebrauch* der Komposition gefragt werden (nicht nur nach dem erstmaligen Gebrauch in der Situation der Dichtung)? Warum soll nicht nach einem Adressaten gefragt werden (es ist doch recht unwahrscheinlich, daß der Psalmdichter des »geistlichen Liedes« nur für sich selber dichtet, seiner Seele also gewissermaßen den Spiegel vorhält und dann nur selbst darein schaut; mindestens in dem Moment aber, wo der Psalm weiter überliefert wird, also von *andern* weitergegeben wird, ist die Frage des Adressaten mit Sicherheit legitim). Schließlich ist auch nach der Intention und Funktion solcher Psalmen – im Hinblick auf den, der ihn spricht, wie auf den, der ihn hört – zu fragen.

Was von der Problematik der »Mischgattung« zu sagen war, gilt analog für die »Weisheitspsalmen«. Gunkel gibt in seinen Erörterungen dazu zunächst einen Überblick über die Entwicklung weisheitlichen Redens überhaupt: vom kurzen Spruch zum umfangreicheren Gedicht, vom weltlichen zum geistlichen Charakter mit Zentrum auf Problemen wie »Vergeltung« und »Theodizee«; Gunkel findet diese Entwicklungslinie sowohl im Proverbienbuch als auch im Bereich der Weisheitspsalmen, so daß man den Eindruck hat, diese Dichtungen seien nur aus Versehen in den Psalter gelangt (Einleitung, 381ff.). Freilich bemerkt er dann auch hier vielerlei »Mischung«: Das Danklied »entlehnt« Gedanken und Formen der Weisheitsdichtung, ähnlich Hymnus und Klagelied. Schließlich bemerkt Gunkel, daß umgekehrt auch die Kultlyrik auf die Weisheitsdichtung eingewirkt hätte, etwa im Hiob-Buch und in Jesus Sirach. Wieder geht die Psalmenforschung nach Gunkel weitgehend in seinen Spuren, ohne auch nur neue Tritte zu setzen.

Das Phänomen ist richtig beschrieben – aber es bleibt uninterpretiert. Warum dringen weisheitliche Redeformen in kultische Gattungen ein? Was bedeutet dies für die grundlegenden Vorgänge im Bereich von Kultus und Weisheit?

Bei der Definition dessen, was unter »Kult« zu verstehen ist, wurde dieser Begriff bereits von dem der »Weisheit« abgegrenzt. Die weisheitlichen Elementarvorgänge – Konstatieren, Ordnen, Anweisen, Fragen – haben ihren Ort nicht im umgrenzten Raum des Kultus, sondern in der alltäglichen Lebenswelt. Daß weisheitliche und kultische Redeformen zusammenkommen, bedeutet also wiederum ein Symptom des Nachkultischen; mit demselben Recht könnte man derartige Psalmen freilich auch als nachweisheitlich bezeichnen. Offenbar hat nicht nur der Kult seine selbstverständliche Kraft der Wirklichkeitsdarstellung verloren; auch die Weisheit kann nicht mehr ohne weiteres davon ausgehen, daß hinter den Erscheinungen des Lebens, die sie zu ordnen sucht, wirklich eine lebenstragende Ordnung erscheint, auf die man sich verlassen könnte. Bekanntlich ist die Weisheit immer wieder – nicht nur in Israel – zur Skepsis geworden; die Kehrseite dieser skeptischen Weisheit zeigt sich in den »Weisheitspsalmen«, die kultische und weisheitliche Erfahrung miteinander in Beziehung setzt.

Auch die Weisheitspsalmen sind also als »Mischgattung« zu bezeichnen – allein schon dadurch, daß sie im Psalter überliefert sind. Aber wieder verschleiert der Begriff der »Mischgattung« mehr, als daß er klärt. Wieder ist nach der konstanten Funktion derartiger Psalmen zu fragen.

7. Vergewisserung und Unterweisung: Zwei grundlegende Vorgänge in nachkultischen Psalmen

Das eigentliche Problem der nachkultischen Zeit besteht darin, daß der Kult seine Orientierungsfunktion verloren hat; das im Kult vermittelte Heil ist damit zweifelhaft geworden, die Gewißheit um Jahwes Gerechtigkeit ist abhanden gekommen. In dieser Situation wieder Gewißheit zu erlangen ist eines der Ziele, das sich in Psalmen dieser Art zeigt.

Der Weg, den die Beter dieser Psalmen zu gehen haben, ist zunächst gewiß ein sehr persönlicher Weg; Krise des Kults bedeutet ja ganz elementar auch Krise der Gemeinschaft, es sind nicht nur religiöse, sondern auch soziale Werte, Normen und Sicherungen, die dem Beter verloren gegangen sind. So ist er also desintegriert, ähnlich wie vormals derjenige, der den Vorgang der Klage des einzelnen durchläuft. Aber für ihn kommt eine schlichte Reintegration nicht mehr in Frage, weil die Gemeinschaft ihre tragende Kraft verloren hat. Die Vergewisserung des Heils und der Gerechtigkeit

Gottes auch in dieser grundsätzlichen Vereinzelung ist also ein notwendiger Lebensvollzug.

Andererseits ist diese Situation nun aber doch kein einmaliges Schicksal, sondern *die* typische Lage des Israeliten in nachexilischer Zeit, der trotz der nationalen Ohnmacht zu Jahwe halten will. In dieser Weise sind diese »persönlichen geistlichen Lieder«, die diesen Ausdruck ein Stück weit zu Recht tragen, eben doch typische, immer wieder verwendbare Dichtungen. Man kann von einer Gattung der »Vergewisserungspsalmen« sprechen, wenn man den Begriff der Gattung nicht an die Konstanz von Rede- und Ausdrucksweisen bindet, sondern auf die Konstanz eines Funktions- und Leistungszusammenhanges bezieht.

Der Vollzug der Vergewisserung des ungewiß gewordenen und der Vergegenwärtigung des fernen Heils schafft nun freilich auch wieder Gemeinschaft; dies ist schon dadurch deutlich, daß die Psalmen ja weitergegeben und überliefert wurden, spricht sich aber auch häufig genug in den Psalmen selbst aus. Es handelt sich aber nicht mehr um die gewachsene Gemeinschaft, die den Kult trägt und gleichzeitig die politisch-soziale Umgebung darstellt, sondern um eine Gemeinschaft des Glaubens (der Ausdruck beginnt hier in der Geschichte Israels am Platz zu sein), welche erst durch den gemeinsamen Vollzug der Vergewisserung konstituiert wird.

So sind also Lebensvollzüge der Gemeinschaft und solche des einzelnen in diesen Psalmen ganz eng miteinander verbunden; dies spricht sich in der Mischung ehemals getrennter Gattungen des einzelnen bzw. der Gemeinschaft aus. Dabei tritt diese Gemeinschaft selbstverständlich mit dem Anspruch auf, »Israel« zu sein – ein Israel, das eben in nachexilischer Zeit weniger eine politische als vielmehr eine theologische Größe ist. Die Verheißungen, die diesem Israel gelten, müssen trotz allen Anfechtungen durch den Gang der Welt behalten und angeeignet werden.

Neben der »Vergewisserung« spielt die »Unterweisung« eine beträchtliche Rolle. Die Ordnungssetzung Jahwes ist auch in ihrem normativen Charakter zweifelhaft geworden: Es ist nicht mehr eindeutig, was Jahwes Wille ist, was er fordert usw.; so gilt es jetzt, den von früher her bekannten Weisungen Jahwes Aufmerksamkeit zu schenken, sie zu sammeln, in sie einzuweisen. Dies bedarf der Unterweisung, der intellektuellen wie moralischen Schulung. An dieser Stelle strömt das weisheitliche Erbe in die nachkultischen Psalmen ein. Freilich geht es nicht mehr um Einweisungen in die Ordnungen der Welt – diese sind undurchsichtig geworden. Statt dessen geht es um die Ordnungen Gottes, wie sie früher ergangen und im Erbe des Kultus bewahrt sind; es geht also um Offenbarung (auch dies ein Begriff, der erst in nachkultischer Zeit seinen Ort hat), die zu bewahren und zu bewähren ist.

Der soziale Rahmen, in welchem sich diese Vorgänge abspielen, ist, wie bereits angedeutet, durch kleinere religiöse Gemeinschaften gegeben, die sie mit dem Anspruch, das wahre Israel darzustellen, und wohl meist in Opposition gegen eine Mehrheit (von Nichtisraeliten oder auch Israeliten) lebt. Man könnte ihren Gottesdienst, in dem Vergewisserung und Unterweisung Elementarvorgänge ausmachen, als »Schulgottesdienst« bezeichnen, wie er nicht nur in Palästina, sondern auch in der Diaspora seinen Ort gehabt haben wird.

Natürlich sind die skizzierten Elementarvorgänge nicht die einzigen Äußerungsformen des Lebens dieser Gruppen. Eine Verhältnisbestimmung zu Vorgängen, wie sie sich in andern spätalttestamentlichen Texten niederschlagen, soll an die Beschreibung einiger Beispiele nachkultischer Psalmen angeschlossen werden.

II. Konkretionen

Bisher war in recht allgemeiner Art vom Kultgeschehen und den Umbrüchen der nachkultischen Situation die Rede. Nun ist eine inhaltliche Konkretion am Platz. Die nachfolgenden Ausführungen zu einzelnen Psalmen können die Texte nicht ausführlich auslegen (auch die liturgischen Notizen sind bereits in der Übersetzung nicht berücksichtigt), sondern konzentrieren sich auf die Frage, welche Umsetzungen des Kultischen, welche »nachkultischen« Vorgänge sich aus Aufbau und Inhalt jeweils ergeben. Die Reihenfolge ist so angelegt, daß anfänglich der Schwerpunkt eher auf dem Pol »Vergewisserung und Vergegenwärtigung des Heils«, gegen das Ende hin eher auf dem Pol »Unterweisung« liegt; aber es zeigt sich schnell, wie sehr beide Aspekte zusammen gehören.

Daß sich die inhaltlichen Themen häufig wiederholen, erstaunt nicht; bei analogen Vorgängen des Lebensvollzugs ergeben sich natürlicherweise immer wieder dieselben Denk- und Vorstellungsinhalte.

1. Psalm 77

2 Meine Stimme dringt zu ›Jahwe‹ und ich will schreien,
    meine Stimme dringt zu ›Jahwe‹, damit er mich erhöre.

3 Am Tage meiner Not suche ich den Herrn,
    (selbst) nachts ist meine Hand ausgestreckt ohne zu erschlaffen,
    meine Seele will sich nicht trösten lassen.

4 Denke ich an ›Jahwe‹, so muß ich stöhnen,
    besinne ich mich, so verzagt meine Seele.

5 ›Ich‹ halte meine Augenlider mühsam (offen),
    ich werde so umgetrieben, daß ich nicht reden kann.

6 Ich bedenke die Zeit in der Vergangenheit,
    den Lauf der Jahre ›in meinem Herzen‹.

7 Denke ich nach, so muß ich ›grübeln‹ des Nachts,
    besinne ich mich, so beginnt meine Seele zu forschen.

8 Verstößt denn der Herr auf ewig,
    und wird er nicht wieder Wohlwollen zeigen?

9 Hat denn seine Zuwendung für immer ein Ende,
    ist das Heilswort dauernd verstummt?

10 Hat Gott vergessen, gnädig zu sein,
    oder im Zorn sein Mitleid verschlossen?

11 Nun muß ich mir sagen: Das ist es, was mich krank macht,
    daß sich verändert hat die Rechte des Höchsten.

12 Ich will der Taten Jahwes gedenken,
    ja, ich will deines wunderbaren Tuns von Anfang an gedenken.

13 Ich will über dein ganzes Werk grübeln
    und mich auf deine Taten besinnen.

14 ›Jahwe‹, im Heiligtum (oder: in Heiligkeit) zeigt sich dein Weg.
Wer ist ein so großer Gott wie ›Jahwe‹?
15 Du bist der Gott, der Wunder tut,
du hast den Völkern deine Macht gezeigt.
16 Du hast mit Gewalt dein Volk befreit,
die Söhne Jakobs und Josephs.
17 Es sah dich das Wasser, Gott,
das Wasser sah dich – da bebte es,
ja, da tobten die Urfluten.
18 Die Wolken gossen Wasser,
das Gewölk ließ Donner grollen,
dazu flogen deine Pfeile umher.
19 Das Gebrüll deines Donners beim Wagenrad!
Blitze erleuchten die Welt,
die Erde bebt und erzittert.
20 Durchs Meer geht dein Weg,
dein Pfad durch gewaltige Wasser –
doch deine Fußspuren sind nicht zu erkennen.
21 Du führst dein Volk wie Schafe
durch Mose und Aaron.

Der Psalm zerfällt deutlich in zwei Teile; in der ersten Hälfte V.1–
13 ist fast durchwegs das Ich des Betenden Subjekt, es handelt sich
um eine Klage, die aber kaum zur Bitte führt. Die Elendsschilderung ist Hauptinhalt dieses Abschnittes. Von V.14 an dagegen ist
das Du Gottes Subjekt; inhaltlich geht es um das Lob Gottes, wir
haben es mit einem anredenden Hymnus zu tun.
Wahrscheinlich hat der Psalmendichter in seiner Komposition älteres Material verwertet. Bereits Duhm (Psalmen 1922², z. St.) trennte
literarkritisch V.17ff. vom vorhergehenden Text (vor allem aus metrischen Gründen) ab und unterschied so zwischen Ps 77A und
77B. Tatsächlich dürfte in 17–19 das Fragment eines ursprünglichen Hymnus vorliegen. In unserem Zusammenhang interessiert
aber gerade, welche Funktion der überlieferte Hymnus im Kontext
der Klage hat.
Auffällig ist im ersten Teil des Psalms, wie häufig Verben wie
»nachdenken«, »sinnen« usw. erscheinen. Im einzelnen werden
verwendet: *zakăr* V. 4,7,12 (bis); *śîᵃḥ* V. 4,7,13; *ḥašăb* V. 6; *hagā*
V. 7 (cj.), 13; *ḥapaś* V. 7. Drei Stellen zeichnen sich also durch die
Häufung derartiger Verben aus: V.4; V.6f.; V.12f.
Es zeigt sich, daß die drei Stellen je charakteristische Orte innerhalb
der ersten Psalmhälfte markieren. V.4 befindet sich innerhalb der
Elendsschilderung. Das Schreien und Klagen führt also zum Nachdenken, zum Versuch, sich zurechtzufinden – aber es gelingt nicht.
Das Nachdenken führt nur tiefer in den Schmerz hinein, bis hin zur

Sprachlosigkeit; sogar die Möglichkeit, den Schmerz zu artikulieren, wird dem Beter genommen. Das ist das Äußerste, was sich an Not denken läßt (V.5).

Die zweite Stelle mit einer Häufung von Verben des Nachdenkens und Besinnens leitet einen neuen Abschnitt ein (V.6). Das Nachdenken führt nun doch über die Klage hinaus, und zwar zu einer Besinnung über Vergangenheit und Gegenwart. Sie kulminiert in einer Diagnose des Leidens (V.11). Jahwes Verhalten besteht in der Gegenwart nur aus Abwendung, aus Zorn; er offenbart sich nicht mehr im Wort des Heilszuspruchs (*'omär* meint hier wohl das speziell im Kult angesiedelte Heilsorakel).

Es zeigt sich, daß es hier nicht um eine Not im persönlichen Leben des Betenden geht, sondern um die Krise ganz Israels. Der Raum gesicherten Lebens ist nicht nur aktuell für den Klagenden verschwunden, sondern für die Gemeinschaft ganz Israels; aber dies wird nicht in der Klage des Volkes gemeinsam zur Sprache gebracht, sondern vom einzelnen als ganz persönliches Unglück durchlitten. Erst die Reflexion führt überhaupt dazu, daß der Betende durch seine sprachlos gewordene Klage hindurchfindet zum Grund seiner Desorientiertheit.

Der Betende gelangt noch einen Schritt weiter. Der Neueinsatz ist wieder durch Verben des Nachdenkens markiert (V.12f.): Jetzt soll in Erinnerung gerufen und bedacht werden, wie Jahwe war, bevor er sich veränderte, wie er anfänglich (*miqqädäm*) war; der Anfang bezeichnet dabei nicht nur das zeitlich Vorherige, sondern auch das sachlich Ursprüngliche. Bereits jetzt erscheint Jahwe nicht mehr in der 3. Person wie bis dahin, sondern in der 2.; er wird angeredet wie im vorgegebenen Hymnus. Es kommt also zu einer in der Klage höchst eigenartigen Bewegung: An die Stelle der Zuwendung Jahwes zum Betenden tritt die Zuwendung des Betenden zu Jahwe.

V.14f. gehören kaum zum altüberlieferten Hymnus, sondern sind vom Beter in Anlehnung an den hymnischen Stil formuliert. Der Einsatz dieses Abschnittes ist überraschend; anstelle der oben gegebenen Übersetzung könnte man ihn auch so wiedergeben:

»Dein Verhalten, Jahwe, zeigt sich im Kult.«

Solange der Hymnus im Heiligtum laut wurde, brauchte dies gewiß nicht eigens betont zu werden. Aber jetzt, wo die Ordnung des Kultus anscheinend zerbrochen ist, gehört eine solche Aussage der Heilsvergewisserung an den Anfang. Allem Anschein zum Trotz gilt, was im Kult einst als Ordnungssetzung und Heilswille Jahwes laut wurde. Dazu gehört die Unvergleichlichkeit Jahwes, der mächtiger ist als andere Götter, und der deshalb sein Volk in der

Geschichte zu führen und zu bewahren vermag. Dies gilt – es entspricht dem anfänglichen und ursprünglichen Handeln Jahwes. Unterstrichen wird diese Aussage durch den alten Hymnus, der von Jahwes Sieg über die Chaoswasser, die mythische Gestalt der Feinde Jahwes und Israels, singt.

So wird der Hymnus von einst der Gegenwart gegenübergestellt. Aber wie bewährt sich denn dieser Hymnus in der Gegenwart? Wie läßt er sich durchhalten? V. 20f. bringt einen überraschenden Aufschluß; es handelt sich wieder um Auslegung, nicht ursprünglichen Bestand des Kulthymnus:

»Durchs Meer ging dein Weg,
  dein Pfad durch gewaltige Wasser,
    aber deine Spuren waren nicht zu erkennen.«

Dies läuft natürlich dem ursprünglichen kultischen Verständnis des Hymnus diametral entgegen. Gottes Handeln im Kult ist sichtbar, sein Kampf gegen das Chaos wird in allen Darstellungsweisen, die nur zur Verfügung stehen, deutlich gemacht – und hier ist davon die Rede, daß Jahwes Weg durchs Wasser nicht zu sehen war. Oberflächlich betrachtet hat hier die Exodustradition auf die Chaoskampftradition eingewirkt, die vom Durchzug Gottes durchs Wasser redet; die Verbindung beider Traditionen ist gewiß schon im vorexilischen Kult zustande gekommen, aber mit Sicherheit ging es auch in dieser Traditionsverbindung um die Sichtbarkeit des Gotteshandelns. Wichtiger ist hier, daß die Auszugstradition eine naturalistische Umdeutung des Bildes gestattet: Jahwes Durchzug durchs Meer läßt keine Spuren zurück, die Wasser kehren zurück – und trotzdem führt Jahwe sein Volk durch Mose und Aaron, mitten durch die Gewalten des Chaos! Von einer unsichtbaren oder wenigstens unauffälligen Führung ist hier also die Rede. *Diese* Besinnung auf die kultische Tradition vermag nun allerdings, Orientierung zu schaffen. Israel befindet sich wieder auf dem Weg durch das »Meer«, die Gewalten des Chaos. Wieder sind die »Spuren« Jahwes nicht zu sehen. Die Abwesenheit Jahwes zu beklagen bedeutet also, ihn in seinem eigentlichen Verhalten gar nicht zu erkennen.

So leitet der Psalm also dazu an, auf dem Wege des Nachdenkens und der Besinnung zunächst einmal die eigene Not der Orientierungslosigkeit zu durchschauen im Hinblick auf ihren allgemeinen, ganz Israel betreffenden Charakter, und dann in einem weiteren Schritt zu erkennen, daß die heilvolle Zuwendung, wie sie im Kult einst proklamiert wurde, auch heute noch gültig ist. So wird die

Gemeinde angeleitet, auch in der Not das Lob Gottes durchzuhalten und des Heiles gewiß zu werden.

2. Psalm 22

2 Mein Gott, mein Gott, warum hast du mich verlassen,
   bist fern meinem ›Schreien‹, den Worten meines Stöhnens?
3 Mein Gott, ich rufe am Tage – aber du antwortest nicht,
   des Nachts – aber Ruhe wird mir nicht zuteil.
4 Du aber thronst als Heiliger,
   Lobpreis Israels.
5 Auf dich vertrauten unsere Väter –
   sie vertrauten, und du rettetest sie.
6 Zu dir schrien sie und wurden gerettet –
   auf dich vertrauten sie, so wurden sie nicht zuschanden.
7 Ich aber bin ein Wurm und kein Mensch,
   ein Spott der Menschen und verachtet von jedermann.
8 Alle, die mich sehen, lachen mich aus,
   tun das Maul auf und schütteln den Kopf:
9 ›Er hat's‹ auf Jahwe gewälzt, der rette ihn,
   er befreie ihn – er hat ja Gefallen an ihm!
10 Ja, du hast mich aus dem Mutterleib herausgezogen,
   hast mir Vertrauen eingeflößt an der Brust meiner Mutter.
11 Auf dich bin ich geworfen vom Mutterleib an,
   von meiner Mutter Schoß an bist du mein Gott.
12 Sei nicht fern von mir,
   denn die Not ist nahe,
   und keiner ist, der mir hülfe.
13 Zahllose Stiere umgeben mich,
   Basansbüffel umringen mich,
14 sie sperren ihr Maul auf mir entgegen –
   ein reißender brüllender Löwe.
15 Wie Wasser bin ich hingeschüttet,
   all meine Gebeine sind auseinander,
   mein Herz ist geworden wie Wachs,
   zerflossen in meinem Innern.
16 Trocken wie eine Scherbe ist meine ›Kehle‹,
   und meine Zunge klebt am Gaumen,
   in den Todesstaub setzen ›sie‹ mich.
17 Ja, Hunde umgeben mich,
   eine Rotte von Übeltätern umkreist mich,
   als ob sie meine Hände und Füße ›abreißen wollten‹.
18 Ich kann alle meine Gebeine zählen,
   und sie schauen zu und haben Spaß an mir.
19 Sie teilen meine Kleider unter sich auf,
   um mein Gewand werfen sie das Los.
20 Du aber, Jahwe, sei nicht fern,
   meine Stärke, eile mir zu Hilfe!

21 Rette mein Leben vor dem Schwert,
    aus der Gewalt der Hunde meine verlassene (Seele)!
22 Hilf mir vor dem Maul des Löwen,
    vor den Hörnern der Wildstiere! –
    Du erhörst mich. –
23 Ich will von deinem Namen meinen Brüdern erzählen,
    inmitten der Gemeinde will ich dich loben.
24 Die ihr Jahwe fürchtet, lobt ihn,
    alle Nachkommen Jakobs, ehrt ihn,
        fürchtet euch vor ihm, alle Nachkommen Israels!
25 Ja, er hat nicht verachtet und nicht verschmäht
    des Elenden Elend,
    hat nicht sein Antlitz vor ihm verborgen;
    als er zu ihm schrie, erhörte er.
26 Von dir stammt mein Lob in großer Gemeinde,
    meine Gelübde erfülle ich ihm vor denen, die ihn fürchten.
27 Die Elenden essen und werden satt,
    es loben Jahwe, die ihn suchen,
        es lebe euer Herz auf ewig!
28 Es werden sich besinnen und umkehren zu Jahwe
    alle Enden der Erde,
    es werden vor dir niederfallen
    alle Geschlechter der Völker.
29 Denn Jahwe gehört das Königtum,
    und er herrscht über die Völker.
30 ›Ja, vor ihm‹ werden niederfallen alle, die auf Erden im Saft stehen,
    vor ihm sich beugen alle, die in den Staub hinabgefahren sind.
    Aber es erhält aufrecht seine Lebenskraft
    das Geschlecht, das ihm dient.
31 Man wird vom Herrn erzählen
    der Generation, 32 die da kommt.
    Man wird seine Gerechtigkeit verkünden
    dem Volk, das (erst) geboren wird.
    Ja, er tut's!

Wer den Psalm auf Gattungsmerkmale hin durchsieht, spürt sofort
die Uneinheitlichkeit: Zuerst findet sich die Redeweise der individuellen Klage (V.1–22); dann hat man es mit einem Danklied des
einzelnen zu tun (V.23–27); und schließlich endet der Psalm mit
hymnischen Klängen (V.28–31). Dies hat zu literarkritischen Ope-
rationen geführt. Einerseits hat man die Klage vom Danklied trennen, andererseits im Schluß einen ursprünglich selbständigen
Hymnus sehen wollen. Diese Versuche sind nicht geglückt, und in
unserem Zusammenhang geht es ohnehin um die jetzt vorliegende
Gesamtkomposition.
Der erste Teil ist durch das Hin und Her von Klage und Vertrauensbekenntnis gekennzeichnet. Ganz konventionell setzt der

Psalm mit der Klage ein: Die Ferne Gottes bedeutet seine eigentliche Not, daraus ergibt sich alles für den Menschen denkbare Unheil. Der Hilferuf des Beters wird nicht gehört und nicht angenommen. Aber auf diese Formulierung äußerster Verzweiflung folgt ein erstes Kontraststück (V.4): Es ist eingeleitet durch eine lobpreisende Anrede Jahwes – ein Element hymnischer Sprache. Der Beter setzt seiner Klage das Lob gegenüber und schließt Aussagen zum Thema »Vertrauen« daran an – allerdings geht es nicht um eigenes Vertrauen, sondern um das der Väter. Hier findet sich ein Rückblick auf Gottes Handeln in der Vergangenheit (V.5): Die Väter vertrauten – und Gott half ihnen. In der Vergangenheit funktionierte der Zusammenhang von Klage, Erhörung und Hilfe – in der Vergangenheit funktionierten die kultischen Ordnungen.

Dieser Rückblick auf eine heile Vergangenheit, in welcher die Ordnungen ungebrochen funktionierten, ist zwar ein typisches Gattungselement, aber nicht der Klage des einzelnen, sondern des Volkes: Wenn der Gemeinschaft als ganzer ihre geordnete Welt abhanden gekommen ist, blickt sie zurück und versucht sich zu vergegenwärtigen, was sie verloren hat und nun einklagt.

Ein derartiger Rückblick also findet sich hier in individueller Klage, mit charakteristisch verändertem Inhalt: Früher gab es für den Leidenden den Klagevorgang, der wieder ins Leben zurückführte. Wie steht es jetzt damit? Die Antwort besteht wieder aus Klage, Elendsschilderung und, in der Kulmination, in einem Spottzitat der Feinde, welche das Gottesvertrauen des Beters verhöhnen (V.7–9).

So bedarf das Vertrauen zu Gott, welches den Schritt zum Gotteslob ermöglicht, einer neuen Basis. Darum geht es in V.10f. Der Beter redet von seiner Existenz, die er von Gott geschaffen weiß. Anders als im kultischen Reden, wo die Schöpfung selbstverständliche Voraussetzung des Gotteslobes ist, bedarf der Schöpfungsglaube hier einer besonderen Vertrauenshaltung.

Vor diesem Hintergrund wird jetzt erneut die Klage laut, die in der Bitte ihren Höhepunkt hat. »Sei nicht fern« – so ist der Abschnitt eingeleitet (V.12); »hilf mir« ist der Kern des letzten Satzes (V.22). Inhaltlich sind die Aussagen wieder ganz konventionell.

Ungewöhnlich ist erst der Schluß von V.22: »Du erhörst mich!« Damit ist die Wende zum Danklied markiert. Natürlich findet sich diese Wende bereits im kultischen Klagevorgang, wenn sich die Klage im Vertrauensbekenntnis zum Anstimmen des Lobes wandelt. Aber hier geht es um mehr; ein vollständiges Danklied ist angefügt, das die Situation der realisierten Rettung voraussetzt. »Du erhörst mich«: dies markiert zwar eine Wende, aber nicht in dem

Sinne, daß das Lob die Klage nun endgültig abgelöst hätte, so daß also jetzt ein qualitativ anderer Vorgang zu verzeichnen wäre als zwischen 3/4 und 9/10. *In seinem Elend* kommt der Beter zur Erhörungsgewißheit; Lob und Klage gehören zusammen, der Betende ist simul clamans et laudans.

Im einzelnen ist das Gotteslob des Dankliedes wieder recht konventionell. Hervorzuheben ist lediglich die Rolle der Gemeinschaft, innerhalb derer dies Lob laut wird: Es ist die Gemeinschaft der 'anawîm. Dies ist eine häufige Selbstbezeichnung derer, die sich zu Jahwe zählen – jedenfalls im Bereich nachkultischer Psalmen. Wie kommt es dazu?

Nach ursprünglicher kultischer Ordnungsvorstellung ist der »Elende«, der Entrechtete, der, welcher besondern Schutzanspruch hat und Recht beanspruchen kann (beim König) bzw. mit Erhörung der Klage rechnen kann (bei Gott). Wenn er ins Loben einstimmt und wenn ihm geholfen wird, ist er natürlich kein 'anî mehr. In den nachkultischen Psalmen ist diese Eindeutigkeit der Situationen, die Trennung zwischen dem Bereich des Heils und dem des Unheils, aufgehoben. Das Loben löst das Klagen nicht mehr ab, Erhörung bedeutet nicht Befreiung von den unmittelbaren Nöten; Gottes Nähe löscht seine Ferne nicht aus. So ist gerade der Elende, der sein Elend vor Gott ausbreitet und durchhält, der, welcher zu Gott gehört. In dieser Gemeinschaft der Elenden kann das Lob Gottes jetzt allein angemessen laut werden!

Freilich wird auch eine Zeit kommen, in welcher die Herrschaft Jahwes wieder vor aller Augen liegen wird; davon redet der Schlußabschnitt (V.28–31). Von der Weltherrschaft Jahwes und der Huldigungsfahrt aller Völker und Könige zu ihm wußten die Hymnen im Kult eh und je zu reden; es handelt sich um ein Stück Kultideologie, bei dem einem heutigen Betrachter die Diskrepanz zur Wirklichkeit, wie sie der Historiker rekonstruiert, besonders augenfällig ist. In nachkultischer Zeit wird aus der Aussage über die Gegenwart eine Zukunftshoffnung: Es kommt der Tag, da die jetzt nur geglaubte Herrschaft Gottes wirklich gesehen werden kann und von allen anerkannt werden muß.

Diese Herrschaft Gottes wird nun freilich Dimensionen zeigen, die bis dahin undenkbar waren. Auch die Toten werden dann Jahwe loben; der Bereich des Todes aber war dem Kultbereich Altisraels entzogen. Wohl hatte man das eine oder andere Mal von der Macht Jahwes auch dem Totenreich gegenüber reden können; aber doch nur unter dem Vorzeichen, daß Jahwe mächtiger sei als die Gewalt des Lebensfeindlichen. Daß das Totenreich wirklich in die Herrschaftsgewalt Jahwes eingegliedert werden könnte, so daß die Toten ihn als ihren Herrn anerkennen und loben dürften, ist ein ganz unerhörter neuer Gedankengang dieses Psalms, der seine Parallele in der Auferstehungshoffnung der Apokalyptik hat.

Lob und Klage sind in diesem Psalm nicht voneinander zu trennen. Unter den Bedingungen menschlicher Existenz muß Klage laut werden; aber wenn es eine Existenz vor Gott ist, wird gleichzeitig kontradiktorisch das Lob Gottes laut. In die Gleichzeitigkeit von Lob und Klage, die sich im stimmungsmäßigen Hin und Her des Psalms abzeichnet, wird der Beter eingeübt. Und zugleich wird bei ihm die Hoffnung gestärkt auf eine Zukunft, in welcher sich Gottes Herrschaft eindeutig zeigen wird. Auf diesen Punkt hin lebt die Gemeinschaft der »Elenden«.

3. Psalm 39

2 Ich dachte: Ich will achthaben auf mein Verhalten,
    um nicht zu sündigen mit meiner Zunge.
  Ich will meine Zunge im Zaum halten,
    solange der Frevler in meiner Nähe ist.
3 Ich hüllte mich in Schweigen,
    enthielt mich der Rede.
  Aber mein Schmerz rührte sich,
4   mein Herz wurde heiß in mir,
  bei meinem Stöhnen entbrannte Feuer –
    da löste ich meine Zunge im Reden:
5 Laß mich erkennen, Jahwe, mein Ende
    und das Maß meiner Tage, wie viel es ist,
      damit ich erkenne, wie vergänglich ich bin.
6 Siehe, handbreit hast du meine Tage gemacht,
    und meine Lebenszeit ist wie nichts vor dir.
  Ja, ›wie‹ Hauch, so fest steht jeglicher Mensch,
7   ja, als Schemen wandelt dahin ein jeder.
  Ja, ein Hauch ist das ›Vermögen‹, das er anhäuft –
    und er weiß nicht, wer es einheimst.
8 Und jetzt, worauf hoffe ich, Herr?
    Meine Erwartung – dir gilt sie.
9 Rette mich vor denen, die ›mich anfeinden‹,
    mach mich nicht zum Hohn der Toren.
10 Jetzt bin ich still, öffne nicht den Mund,
    denn du hast es gefügt.
11 Nimm von mir deine Plage,
    ob der ›Wucht‹ deiner Hand bin ich am Ende.
12 Jeden züchtigst du mit Strafen ob der Schuld,
    zehrst auf wie die Motte ›seine Anmut‹ –
    ja, Hauch ist jeglicher Mensch.

13 Höre meine Bitte, Jahwe,
   neige dein Ohr zu meinem Schreien,
   schweige nicht zu meinen Tränen.
   Denn ich bin ja ein Fremdling bei dir,
   ein Beisasse, wie alle meine Väter.
14 Blick weg von mir, damit ich heiter werde,
   bevor ich dahingehe und nicht mehr bin.

Der Beter dieses Psalms befindet sich in Not; in dieser Not formuliert er seine Klage – eine Klage mit Bitte, die streckenweise ganz konventionell formuliert ist (V.3b,4a,9,11).
Aber diese konventionellen Elemente sind mit ganz andersartigem Reden durchsetzt. So setzt der Psalm zunächst mit einem Rückblick auf das eigene Verhalten in der durchlittenen Not ein (V. 2 – 4): Der Leidende war zunächst zur Klage gar nicht bereit, er nahm sich vor, zu schweigen. Erst als er dies nicht mehr aushielt, brach das laute Reden aus ihm hervor. Der Grund zu diesem Versuch, auf die Klage zu verzichten, liegt bei der Existenz des Frevlers: In seiner Gegenwart darf die Klage nicht laut werden.
Dies bedeutet eine Verkehrung ursprünglicher Klagesituation. Normalerweise ist es ja gerade der Frevler, der Feind, der den Anlaß zur Klage darstellt: Der Frevler steht gegen die von Jahwe gesetzte Lebensordnung auf, und der Klagende beruft sich auf diese Ordnung. Solche »Feindklage« wird normalerweise gewiß nicht als Frevel empfunden worden sein, als was sie dem Beter dieses Psalms erscheinen würde. Er ist sich offenbar seiner Sache nicht ganz sicher, er kann sich nicht mehr auf die im Kult vermittelte Ordnung Jahwes verlassen. Diese Unsicherheit ist das Motiv des Schweigens. Das Recht auf Klage ist zweifelhaft geworden.
Nach der ersten Klage und der dazugehörigen Klagereflexion geht der Psalm in eine Bitte über; aber es ist nicht Bitte um Rettung, sondern Bitte um Einsicht. Der Beter möchte sich seiner Begrenztheit und Todesverfallenheit bewußt werden. Von V.5 an spielt dieses Motiv dauernd eine bestimmende Rolle, wobei die persönliche Betroffenheit durch das Vergänglichkeitsgeschick immer sofort übergeführt wird in eine Betrachtung der Allgemeinheit dieser Vergänglichkeit.
Wieder ist ein konventionelles Thema der Klage in einem völlig neuen Licht dargestellt. Vom Tod wußte die individuelle Klage immer zu reden: Der Leidende empfindet sich aus der Gemeinschaft des Lebens ausgeschlossen – damit steht er im Bereich des Todes. Vom Klagevorgang erwartet er Rettung, Befreiung aus der »Unterwelt«, der »Grube« und wie immer die Klagen es formulieren.

In diesem Psalm nimmt der Tod eine ganz andere Stellung ein. Er rückt gewissermaßen vom Rande des Lebens in die Mitte. Der Beter kann sich erst zurechtfinden, wenn er seinen Tod verstanden, seine Begrenztheit erfaßt hat. Tod bedeutet nicht mehr in erster Linie Trennung vom Leben der Gemeinschaft, sondern Grenze des unverwechselbar-eigenen Lebens, das als solches in den Blick zu kommen beginnt.

Diese Erfahrung ist nicht allein für den Beter dieses Psalms relevant, sondern sie wird als Grundzug menschlichen Daseins überhaupt erfaßt. Seinem Wesen nach ist der Mensch *häbäl* – Hauch (V.6.7.12). Dieses Stichwort findet sich als Leitmotiv des Predigers wieder, einer Schrift, die man als »nachweisheitlich« bezeichnen kann: Der Prediger geht davon aus, daß weisheitliche Bemühung nicht leisten kann, was sie leisten möchte, daß sie das Wesen der Welt nicht durchschauen und so auch nicht gültig in die Ordnungen der Welt einweisen kann. Der Mensch ist zu begrenzt und zu hinfällig, als daß er feste Orientierung gewinnen könnte. Das einzig unmittelbar Gewisse ist ihm diese Begrenztheit selbst. Sein Tod ist darum das anthropologische Grunddatum, von dem aus er seine Erfahrungen einzuordnen hat. Die Bitte um Einsicht in die Todesverfallenheit steht darum ganz sinnvoll am Anfang des Bitteiles.

Noch ein zweites Element gehört so wesenhaft zum Menschen wie der Tod: Schuld. Daß ein Mensch sich gegen die Ordnungen Gottes vergeht, ist im kultischen Orientierungssystem nicht unüblich; Kult hat nicht zuletzt die Funktion, solche Verschuldungen wieder in Ordnung zu bringen. Die Bußpsalmen bringen diesen Vorgang zum Ausdruck.

Hier aber ist Schuld eine Größe, die nicht einfach zu tilgen ist. Dies zeichnet sich bereits im ersten Abschnitt ab (V.2–4): Der Beter empfindet seine Klage zwar als Versündigung – aber er ist gar nicht im Stande, darauf zu verzichten. Die Bitte und daran anschließende Reflexion in V.11f. macht vollends deutlich, daß Schuld und Vergänglichkeit zusammen gehören: das ist es, was den Menschen eigentlich ausmacht.

Angesichts dieser Neuorientierung kann das Vertrauensbekenntnis in V.8 nicht dieselbe Funktion haben, die ihm in der kultischen Gattung der individuellen Klage zukommt, es markiert nicht den Schritt in den Bereich des Heils, sondern vielmehr die Zuwendung zu Gott gerade unter dem Eindruck der Grunderfahrungen von Schuld und Tod. Und auch die konventionellen Bitten um Befreiung von Feinden und Bewahrung vor Schande (V.9) zielen offenbar nicht auf ein heiles Leben, sondern auf die Möglichkeit einer Existenz, die vor überschweren Belastungen verschont bleibt, so daß das Vertrauensbekenntnis durchzuhalten ist und nicht unter der Last der Anfechtung zusammenbricht.

Seine erstaunlichste Wendung nimmt der Psalm mit der Bitte des Schlußverses (V.14). In der Regel bitten die Klagen um das Gegenteil: um das gnädige Hinschauen Gottes; die Abwendung seines Blickes bedeutet demgegenüber Unheil. Aber wie erlebt der Beter diese Zuwendung Jahwes? Unmittelbar natürlich in der kultischen Zuwendung, in der Beantwortung der Klage durch das Heilsorakel. Aber eine derartige Erhörung der Klage, ein »herkömmliches« Hinschauen Gottes, hat für den Beter keine Bedeutung mehr. Das bisherige Offenbarsein Jahwes vermag die Klage nicht zu beantworten, es kann daher auch nicht Gegenstand der Bitte sein. Die Verborgenheit Gottes, in der herkömmlichen Klage ein vorübergehendes Phänomen, das mit der Erhörung erledigt ist, wird hier zum bleibenden Thema. Das Vertrauensbekenntnis des Psalms ist an einen Gott gerichtet, der wegblickt und sich verborgen hält.

Der Psalm macht besonders deutlich, wie die durchgehaltene Klage Reflexion freisetzt. Die Tatsache, daß der Not nicht einfach Abhilfe geschaffen werden kann, führt zu einem ganz neuen Nachdenken des Menschen über sich selbst. Die Gewißheit der eigenen Schuld und der eigenen Vergänglichkeit bildet die Grunderfahrung dieses Menschen. Von da aus erst kann er Gewißheit über eine Zuwendung Gottes gewinnen, die viel tiefere Dimensionen annimmt als alles, was Kult in dieser Hinsicht zu vermitteln imstande war.

4. Psalm 94

1 Gott der Rache, Jahwe,
   Gott der Rache, erscheine!
2 Erhebe dich, Richter der Welt,
   bring Vergeltung über die Hochmütigen!
3 Wie lange noch, Jahwe, sollen die Gottlosen
   wie lange noch sollen sie triumphieren können?
4 Es sprudeln und sprechen Frechheit aus
   und machen sich groß alle Übeltäter.
5 Dein Volk, Jahwe, zertreten sie,
   und dein Erbe bedrücken sie.
6 Die Witwe und den Fremden töten sie,
   und die Waisen morden sie.
7 Und dann sagen sie: Jahwe sieht es nicht,
   der Gott Jakobs merkt es nicht.
8 Nehmt Einsicht an, ihr Narren im Volk!
   Ihr Toren, wann endlich werdet ihr verständig?

9 Der das Ohr gepflanzt, sollte der nicht hören?
   Der das Auge gebildet, sollte der nicht sehen?
10 Der die Völker unterweist, sollte der nicht zurechtweisen,
   er, der die Menschen Einsicht lehrt?
11 Jahwe weiß um die Gedanken der Menschen,
   daß sie nämlich eitel sind.
12 Wohl dem Manne, den du, Jahwe, züchtigst,
   und den du mit deiner Weisung belehrst,
13 um ihm Ruhe zu verschaffen vor bösen Tagen,
   bis dem Gottlosen das Grab geschaufelt wird.
14 Ja, Jahwe gibt sein Volk nicht auf,
   und er läßt sein Erbe nicht im Stich.
15 Denn zum ›Gerechten‹ wird die Herrschaft zurückkehren,
   und hinter ihm werden sich scharen alle, die aufrechten Herzens sind.
16 Wer wird mir aufstehen gegen die Bösewichter,
   wer wird mir beistehen gegen die Übeltäter?
17 Wäre nicht Jahwe mir zu Hilfe gekommen,
   so wäre beinahe meine Seele zur (Todes)ruhe entschlafen.
18 Sagte ich schon: Mein Fuß gerät ins Wanken,
   so stützte mich deine Gnade, Jahwe.
19 In der Vielzahl meiner Sorgen in meinem Inneren
   ermunterten deine Tröstungen meine Seele.
20 Hat das Willkürregiment Gemeinschaft mit dir,
   das dem Gesetz Gewalt antut?
21 Sie rotten sich gegen das Leben des Gerechten zusammen
   und vergehen sich an unschuldigem Blut.
22 Doch Jahwe ist mir zur Burg geworden,
   mein Gott zum Felsen meiner Zuflucht.
23 Er vergilt ihnen ihre Gewalttat,
   in ihrer Bosheit vernichtet er sie,
       es vernichtet sie Jahwe, unser Gott.

Bitte und Klage – die klassischen Elemente des Klagepsalms – leiten die Komposition ein. Handelt es sich um eine Klage des einzelnen oder um eine Klage des Volkes? Die Merkmale beider Gattungen erscheinen gleichmäßig. Auf der einen Seite ist es das Volk Jahwes, das in Bedrängnis ist und also Hilfe braucht (V. 5); andererseits aber ist die Beschreibung der Feinde als »Gottlose« ($r^e\check{s}a^c\hat{i}m$), »Unheil-stifter« ($po^{ca}l\hat{e}$ $^{\prime}aw\ddot{a}n$) usw. deutlich dem Vokabular der Klage des einzelnen entnommen. In diesem Psalm wird besonders deutlich, wie sich die auf den einzelnen und die auf die Gemeinschaft bezogenen Vorgänge vermischt haben, wie sich privates und politisches Geschick nicht mehr voneinander trennen lassen.
Entsprechend ist das Bild der Feinde ambivalent. Auf der einen Seite unterdrücken sie das Volk Gottes, so daß man an eine Fremd-herrschaft zu denken hat; aber andererseits »reden sie verkehrt«,

d. h. sie benehmen sich als Toren, als Verblendete, welche die Ordnungen Jahwes weder erkennen noch anerkennen. Die Beschreibung der Feinde kulminiert in einem Zitat: »Jahwe sieht's nicht – der Gott Jakobs durchschaut's nicht!« (V.7). Das sieht nun freilich gar nicht nach einem äußeren Feind aus, der von vorneherein Jahwes Herrschaftsanspruch verneint, sondern vielmehr nach einem Israeliten, in dessen Augen Jahwe diesen Anspruch verspielt hat, der selbstsicher seine eigene Ordnung setzt und für den Jahwe so also zu einer quantité négligeable geworden ist.

Die Auseinandersetzung findet hier primär also nicht zwischen Israel und den Fremdvölkern statt, sondern sie charakterisiert das Verhältnis zwischen Israeliten und Israeliten. Die »Rache Jahwes«, die herbeigerufen ist gegen die »Überheblichen«, soll sich zunächst gegen dieses Israel richten, das nicht mehr als »Volk Jahwes« anzusprechen ist, sondern dieses bedrängt und bedroht.

Von dieser Situation her ist denn der Aufruf (V.8) deutlich: »Kommt zur Einsicht, ihr Narren im Volke!«bo‘ᵃrîm hängt mit bᵉ‘îr, Vieh, zusammen (man könnte also von »tierisch Dummen« reden): Die Angeredeten sind nicht zu eigentlich menschlicher Einsicht fähig, es fehlt ihnen die elementare Fähigkeit zur Beurteilung der Wirklichkeit: Sie rechnen nicht mit der Allwissenheit des Schöpfers (V.9f.). Hymnische Prädikationen Jahwes werden hier aufgenommen und argumentativ verwendet in rhetorischen Fragen. Der Gegner, so die Argumentationsvoraussetzung, wird die Aussage des Hymnus über Jahwes Schöpfer-Sein nicht infrage stellen – kann er sich dann der Konsequenz verschließen, Jahwes dauernde und aktuelle Herrschaft anzuerkennen?

Dem Toren steht der gegenüber, der sich von Jahwe belehren läßt; ihm gilt die Seligpreisung (V.12). Medium der Erziehung ist dabei die »Weisung«, die tôrā. Ursprünglich war damit der priesterliche Kultbescheid bezeichnet, das Urteil darüber etwa, ob ein Opfertier kultfähig sei oder nicht, ob ein Opfer gelungen sei oder nicht, ob die eine oder andere Reinheitsregel in undurchsichtigen Fällen zu beachten sei. Der Begriff der tôrā hat sich aus dem kultischen Verwendungsbereich heraus entwickelt und ist zu einem Ausdruck für die Äußerungen des Jahwewillens ingesamt geworden; diese nachkultische Verwendung liegt hier vor. Die tôrā Jahwes bezeichnet alles, was Jahwe an Belehrung dem Gerechten zukommen läßt. In einem noch weiteren Entwicklungsstadium wird dann diese Äußerung des Jahwewillens mit dem Pentateuch gleichgesetzt, doch dies liegt hier sicher noch nicht vor.

Die Belehrung Jahwes bewahrt, seine tôrā trägt den Gerechten bis

44

zu dem Zeitpunkt, wo der Frevler zu Fall kommt. Daß es diesen Zeitpunkt aber geben wird, ist dem Psalmisten gewiß: Die Herrschaft wird »zum Gerechten zurückkehren« – und alle, die »aufrechten Herzens sind«, werden diesen in seiner Herrschaft stützen (V.15). Die Menschen, die diesen Psalm beten, rechnen offenbar mit einer Umwälzung der bestehenden politischen Verhältnisse. In seiner historischen Ursprungssituation wird der Psalm eine konkrete Machtstruktur im Visier gehabt haben, in welcher man das Ende einer Unrechtsherrschaft erhoffte. Sie wird noch etwas verdeutlicht durch die rhetorische Frage in V.20: Anscheinend gibt auch das »Willkürregiment« vor, mit Jahwe Gemeinschaft zu haben; das bestätigt die Vermutung, daß hier ein Konflikt innerhalb Israels selbst vorliegt, wobei sich beide Seiten auf Jahwe berufen; das Zitat in V.7 ist demnach nicht authentisch, sondern disqualifizierendes Urteil des Beters, das dem Gegner in den Mund gelegt wird. Es ist also nicht zuletzt ein Streit um Jahwe, der hier ausgetragen wird, damit natürlich auch ein Streit darum, wer eigentlich Gottes Volk, das wahre Israel ist. Ist es die Mehrheit, die jetzt an der Macht ist und Gemeinschaft mit Jahwe vorgibt? Oder ist es die Minderheit, welche auf die Herrschaft eines Gerechten hofft? Daß dabei das Urteil des distanzierten Lesers nicht automatisch das des alttestamentlichen Beters, der sich unmittelbar mit dem im Psalm vorgezeichneten Vorgang identifiziert, ist, versteht sich von selbst. Die historische Ursprungssituation des Psalms herauszufinden, ist nicht möglich; die Hinweise sind zu spärlich. Daß aber ein derartiger Psalm in weiten Kreisen des nachexilischen Israel benützbar war, steht außer Zweifel. Oppositionsgruppen mit dem Anspruch, das wahre Israel darzustellen, gab es immer wieder – beispielsweise einem Jerusalemer Priestertum gegenüber, das mit dem Hellenismus sympathisierte. Aber auch die Qumran-Gemeinde, die sich an ihrem »Lehrer der Gerechtigkeit« anstelle des in Jerusalem regierenden »Lügenpriesters« orientierte, kann hier genannt werden. Die gerechte Herrschaft ist wohl zunehmend nicht bloß in einer innergeschichtlichen Umwälzung, sondern in einem Geschehen mit kosmischen Dimensionen gesehen worden; aber dies bedeutet nur eine Verlagerung des Akzents.
Jedenfalls gilt es für den Beter, in dieser Zeit der Unrechtsherrschaft in Israel (die qualitativ nichts anderes ist als die Herrschaft der Jahwe feindlichen Fremdvölker) durchzuhalten. Die *tôrā* gibt ihm, wie gesagt, die Möglichkeit dazu. Und so ist er imstande, sein Vertrauensbekenntnis zu formulieren. Wieder ist es nicht ein Vertrauensbekenntnis, das die Gefährdung hinter sich lassen könnte.

Es geht von der Erfahrung aus, daß bereits früher nur Jahwe das Überleben gewährt hat (V.20); von daher ist auch in Zukunft Hilfe zu erwarten: Immer wenn die Verzweiflung droht, wird Jahwe dem Beter mit seinem Trost beistehen (V.18f.).
Vergewisserung und Belehung sind auch hier Grundvorgänge, die sich im Gebrauch des Psalms abzeichnen. Besonders auffällig im Vergleich zu den bereits besprochenen Psalmen ist der polemisch-abgrenzende Zug, der dem Psalm eigen ist. Eine weitere Funktion des Psalms ist es also, die Gruppe, innerhalb derer die Komposition in Gebrauch ist, in ihrer bedrängten Minderheitsstellung zu kräftigen und ihr Selbstbewußtsein zu geben.

5. Psalm 73

1 Nur gut ist ›Gott zu den Aufrichtigen‹,
  ›Jahwe‹ zu denen mit reinem Herzen.
2 Ich aber – beinahe wären meine Füße ausgeglitten,
  fast wären meine Schritte ins Wanken geraten.
3 Denn ich ereiferte mich über die Großmäuler,
  wenn ich das Wohlergehen der Gottlosen sah.
4 Denn sie haben keine ›Leiden‹,
  ›rund‹ und fett ist ihr Bauch.
5 Wo es Leuten schlecht geht, sind sie nicht zu finden,
  sie werden nicht wie normale Menschen geplagt.
6 Darum ist Hochmut ihr Halsschmuck,
  Gewalttat das Kleid, das (sie) einhüllt.
7 ›Es leuchtet‹ ihr Auge ›wie‹ Fett,
  die Pläne des Herzens überborden.
8 Sie spotten und reden mit Bosheit,
  von oben herab reden sie ›dummes Zeug‹.
9 Sie reißen ihr Maul auf bis zum Himmel,
  während ihre Zunge die Erde berührt.
10 Darum wendet sich ›das Volk ihnen zu‹,
  ›und ihre Worte schlürft man geradezu‹.
11 Und sie sagen: »Wie sollte Gott es wissen,
  gibt es denn ein Wissen beim Höchsten?«
12 Siehe, das sind die Gottlosen,
  sie vermehren das Vermögen in ständiger Sicherheit!
13 Ganz umsonst hielt ich mein Herz rein,
  so daß ich meine Hände in Unschuld waschen konnte,
14 wo ich doch geplagt wurde den ganzen Tag,
  ›gezüchtigt‹ jeden Morgen.
15 Hätte ich mir gesagt: Ich will schwatzen wie ›diese‹ –
  so hätte ich das Geschlecht deiner Söhne verraten!
16 Da begann ich nachzudenken, um dies zu verstehen –
  eine mühselige Angelegenheit war es in meinen Augen –

17 bis ich zum Heiligtum Gottes kam,
     um ihr Ende zu verstehen:
18 Ja, auf glitschigen Boden stellst du sie,
     stürzst sie in Täuschungen.
19 Wie werden sie doch im Nu zum Entsetzen,
     sie vergehen, verenden vor Schrecken!
20 Wie ein Traum – beim Erwachen ›sind sie dahin‹,
     beim Wecken mißt ›man seinem‹ Bild keine Bedeutung zu.
21 Als mein Herz erbittert war,
     und meine Eingeweide stechenden Schmerz empfanden,
22 war ich ein Narr und hatte keine Einsicht,
     ›ein‹ Rindvieh war ich dir gegenüber.
23 Nun aber bleibe ich stets bei dir,
     du hast meine rechte Hand ergriffen.
24 In deinem Ratschluß leitest du mich,
     und hernach nimmst du mich in Herrlichkeit auf.
25 Wen hätte ich im Himmel?
     Neben dir begehre ich nichts auf Erden!
26 Möge mein Fleisch zugrunde gehen und mein Herz –
     der Fels meines Herzens und mein Teil ist ›Jahwe‹ für immer.
27 Denn siehe, die fern sind von dir, gehen zugrunde –
     du vertilgst jeden, der von dir abfällt.
28 Ich aber – die Nähe ›Jahwes‹ ist gut für mich,
     ich habe meine Zuflucht beim Herrn Jahwe genommen,
     auf daß ich erzähle von all deinen Werken.

Mit einer Sentenz setzt der Psalm ein: Gottes Güte dem Gerechten
gegenüber steht fest. Das ist freilich, wie die Fortsetzung deutlich
macht, keine Einsicht, die sich je und dann bestätigen ließe, also
keine Aussage in der Art weisheitlicher Sprüche. Der Eingangs-
spruch faßt vielmehr zusammen, was sich aus der Bewegung der
nachfolgenden Verse ergibt; diese Bewegung ist voll von Anfechtung, von Erfahrung, daß Jahwe gerade nicht gut ist dem Gerechten
gegenüber. Dies wird dann freilich im Vertrauensbekenntnis verarbeitet und verwunden; die Sentenz gibt also eine Verallgemeine-
rung dessen wieder, was das Vertrauensbekenntnis im Ich-Stil formuliert.
Von daher ist es deutlich, daß zwar V.2 als ein Rückblick auf eine
Notlage gehalten ist, daß aber die Not gar nicht eigentlich in der
Übermacht der Feinde und ihrer Bedrohung, sondern in der eigenen Einstellung dazu begründet lag: Der Betende konnte sich nicht
abfinden mit dem Phänomen der Gottlosen, er ereiferte sich, quälte
sich innerlich damit ab; das meint der Psalmist, wenn er davon redet, daß er fast zu Fall gekommen sei (V.3). Das »Fallen« betrifft
nicht die sichtbaren, sondern die unsichtbaren Werte des Lebens.
Zwischen sichtbaren und unsichtbaren Werten ist also zu unter-

scheiden. Dies wird in der Beschreibung der Frevler so deutlich wie nur möglich. Die Gottlosen zeigen alle Merkmale, welche einst, nach den vom Kult gesetzten Ordnungen, den Gerechten zukommen müßten: Sie sind gesund und wohlgenährt – es geht ihnen sogar besser als dem Durchschnittsbürger, ihr Machtgefühl bringt sie dazu, alle Ordnungen zu verachten (V. 5–8).

Es ist sicher kein Zufall, daß die Beschreibung der Gegner in einem mythischen Bild kulminiert: Diese reißen ihren Mund bis zum Himmel auf – genau so tut es Mot, der Gott von Unterwelt und Tod in Ugarit, um Baal, den für das Leben garantierenden Gott, zu verschlucken (V.9). Widergöttliche Macht also manifestiert sich in diesen Feinden; und diese Macht setzt sich durch, gewinnt Anhang im Volk und setzt neue Maßstäbe.

Dem Sichtbaren nach zu urteilen, hat also die Ordnung Jahwes ausgespielt; dies proklamieren die Frevler denn auch lauthals: Gott weiß nichts von diesem Umschwung, er ist zur Ohnmacht verurteilt (V.11). Wie sollte da der nicht irre werden, der sich an den alten Maßstäben orientieren will? Ihm bleibt die irritierende Feststellung: Es sind doch Frevler – und trotzdem geht es ihnen dauerhaft gut (V.12).

Die Irritation wirkt natürlich auf den Betenden selbst zurück: Wohin führt ihn seine Gerechtigkeit? Die weiterführenden Fragen stehen zwischen den Zeilen – der Beter wagt sie nicht laut zu äußern. Wäre es nicht besser, zum Frevler zu werden? Sollte man jetzt nicht besser die Front wechseln? Beinahe wären diese Fragen zur ernsten Gefahr geworden – beinahe wäre der Beter zu Fall gekommen. Daß es nicht so weit gekommen ist, liegt daran, daß sich der Beter einer Gemeinschaft verpflichtet weiß (V.15): dem Geschlecht der »Söhne Gottes« (wenn man die Redeweise aus der 2. in die 3. Person umsetzt; auf die Bezeichnung kommen wir zurück). »Söhne Gottes« sind offenbar die, welche an Jahwes Gerechtigkeit festhalten und sich nicht irritieren lassen dadurch, daß die Gottlosen ihr erfolgreiches Unwesen treiben. Sie sind eine Minderheit, die sich nicht wie die Mehrheit beeindrucken lassen. Sie stützen einander, und wenn der einzelne in Anfechtung gerät, so gibt ihm die Existenz dieser Gruppe wieder Halt und Orientierung; wieder ist bei dieser Argumentation zu bedenken, daß sich im Psalm nicht ein Einzelschicksal widerspiegelt, sondern daß die Komposition für viele Gemeinschaftsglieder immer wieder benützbar ist. Dieser Sachverhalt zeigt auch die Grenze der früher üblichen und heute noch vielfältig nachwirkenden Interpretation des Psalms, wonach in dieser Dichtung eine einsame Seele zu ihrem Gott fände.

In und mit seiner Gemeinschaft kommt der Beter zur Besinnung, es gelingt ihm wieder, sein Problem zu meistern – so schwer es ihm auch fällt. Dies geschieht in dem Moment, wo er das »Heiligtum Gottes« (gewiß übertragen zu verstehen: die Ordnung des göttlichen Heils) wieder betritt – und jetzt fällt es ihm wie Schuppen von den Augen. Der ganze folgende Abschnitt beschreibt die Erkenntnisse, die der Betende (wieder) findet. Eine neue Sicht der Wirklichkeit wird ihm zuteil.

Da erscheinen dann zunächst die Gottlosen in einem anderen Licht (V.18–20): *Sie* stehen auf schlüpfrigem Grund; die Aussage erinnert an V.2, wonach der Beter beinahe auch dorthin gelangt wäre, wenn er sich den Frevlern zugesellt hätte. *Sie* kommen um und fallen der Nichtigkeit anheim. Ihre Wirklichkeit ist der eines Traumes zu vergleichen; was vor Augen liegt, ist also nur Schein, der Erfolg der Gottlosen ist ein Scheinerfolg.

Aber auch das eigene Verhalten in der Anfechtung wird jetzt zurechtgerückt – es erscheint als Narretei (V.21f.). Sich irritieren zu lassen bedeutet Verlust an Verstand, an Fähigkeit zum Überblick und zur wahren Einschätzung der Wirklichkeit.

Jetzt ist der Betende wieder zur Einsicht gekommen; dies spricht sich im Vertrauensbekenntnis aus (V.23ff.). Er weiß sich von Gott geführt und mit ihm verbunden – und diese Verbundenheit ist auch durch die Nichtigkeit des menschlichen Lebens nicht gefährdet. Man hat darauf hingewiesen, daß hier die Vorstellung einer Gemeinschaft des Menschen mit Gott zu greifen ist, die sich der Entrückungsvorstellung bedient (V.24). Dieses Erzählmotiv, das ursprünglich in den Umkreis zu Sagen von übermenschlichen, den Göttern bereits verwandten Menschen gehört, wird hier also in einen ganz neuen Zusammenhang des Redens gebracht; es dient jetzt dazu, die Gewißheit der Überwindung des Nichtigkeitserlebens zur Sprache zu bringen, rückt damit aus dem Erzählen ins Bekennen und wird zu einem Thema, das für jeden konkrete Erlebensmöglichkeit ist – nicht mehr Kristallisationspunkt unrealisierbaren Wünschens.

Daß diese Hoffnung der Gemeinschaft der »Söhne Gottes« eigen ist, bestätigt die Schrift der »Weisheit Salomos«. Besonders in Kap. 2–5 geht es um den Gottlosen, welcher sich in Verkennung der Wirklichkeit seines scheinbar erfolgreichen Lebens freut und den Gerechten zu vernichten droht. Aber dieser fällt – selbst wenn er stirbt – nicht aus der Gemeinschaft mit Gott heraus. Die Entrückkung Henochs wird als Modellfall für einen derart leidenden und scheiternden Gerechten erzählt, Henoch galt offenbar als Identifikationsfigur in den Überlieferungskreisen der »Weisheit Salomos«. Auch hier werden die Gerechten als »Söhne Gottes« bezeichnet (2,18; 5,5). Im Unterschied zu Ps 73 ist freilich das Geschick nach dem Tode viel ausführlicher thematisiert; das Vertrauenbekenntnis ist verallgemeinert und geradezu in eine inhaltlich-dogmatische Formulierung gebracht. Aber der Zusammenhang mit dem in Ps 73 zu beobachtenden Vorgang ist doch deutlich genug.

So markiert der Psalm also den Weg des Angefochtenen, der immer in Gefahr ist, der Scheinwirklichkeit zu erliegen. In seiner Gemeinschaft kommt er wieder dazu, die wahre Wirklichkeit zu sehen und in ihr seinen Halt zu finden. Der Psalm schließt mit dem Bekenntnis: »Was mich betrifft: die Nähe Jahwes ist gut für mich.« Dies ist nichts anderes als die persönliche Aneignung dessen, was der Psalm eingangs generell feststellt: »Ja, gut ist Gott für den Gerechten.«

6. Psalm 62

2 Nur zu ›Jahwe‹ ist stille meine Seele,
    von ihm kommt meine Hilfe.
3 Nur er ist mein Fels und meine Hilfe,
    meine Burg, so daß ich nicht zu sehr wanke.
4 Wie lange noch wollt ihr einen mit Vorwürfen überhäufen,
    allesamt ›gegen ihn anrennen‹
  wie gegen eine einfallende Wand,
    eine einstürzende Mauer?
5 Nur ›Täuschungen‹ planen sie,
    lügenhaft zu Fall zu bringen lieben sie.
  Mit ihrem Mund segnen sie,
    aber in ihrem Inneren fluchen sie.
6 Nur zu ›Jahwe‹ sei stille, meine Seele,
    denn von ihm kommt meine Hoffnung.
7 Nur er ist mein Fels und meine Hilfe,
    meine Burg, so daß ich nicht wanke.
8 Auf ›Jahwe‹ beruht mein Heil und meine Ehre,
    mein mächtiger Fels, meine Zuflucht ist bei Jahwe.
9 Vertraue auf ihn zu aller Zeit, Volksgemeinde!
    Schüttet vor ihm euer Herz aus!
      ›Jahwe‹ ist unsere Zuflucht!
10 Nur Hauch sind die Menschen,
    Lüge die Sterblichen.
  Auf der Waage schnellen sie hoch,
    leichter als Hauch allesamt.
11 Vertraut nicht auf Bedrückung,
    gebt euch nicht unnütz mit Raub ab!
  Wenn das Vermögen wächst,
    hängt nicht das Herz daran!

12 Eins hat ›Jahwe‹ gesagt,
    zwei Dinge sind's, die ich gehört habe:
    Daß ›Jahwe‹ die Macht gehört
13   und dir, Herr, die Güte.
    Ja, du vergiltst
    einem jeden nach seinem Tun.

Der Psalm wird üblicherweise der Gattung der »individuellen Vertrauenspsalmen« zugeordnet; bereits Gunkel hat diese Kategorie in die exegetische Diskussion eingeführt und gleichzeitig betont, daß der Vertrauenspsalm eine Unterabteilung des Klagepsalms darstelle (Einleitung, 254ff.) Diese Feststellung ist grundsätzlich unwidersprochen geblieben, wenngleich beispielsweise Kraus anmerkt, daß diese Vertrauenspsalmen »stärker als besondere Gruppe abgehoben werden sollten« (Psalmen, 1961², 119). Diese stärkere Abhebung wird freilich nicht genauer beschrieben, Kraus gibt nicht einmal einen Hinweis, in welche Richtung die Abhebung zu akzentuieren wäre.

Die eigentliche Problematik der Vertrauenspsalmen zeigt sich, wenn man nicht nur die Redeelemente, sondern auch den zugrundeliegenden Vorgang zum Vergleich beizieht. Das Vertrauensbekenntnis hat innerhalb des Klage-Erhörungs-Vorganges ja seinen besonderen Ort: Es signalisiert den Schritt, den der Klagende zurück in den Bereich des Lobes tut. Im Vertrauenspsalm ist das Vertrauensbekenntnis zu einer eigenständigen Einheit ausgeweitet; welcher Vorgang steht hinter dieser Ausweitung und Verselbständigung? Von einem »Schritt« kann man jetzt offenbar gar nicht mehr reden – es geht um einen Vertrauens*zustand*. Hat er seinen Ort in einem kultischen Ablauf? Die nachfolgende exegetische Skizze soll exemplarisch zeigen, daß der Vertrauenspsalm überhaupt unter die *nach*kultischen Psalmen einzureihen ist.

Mit dem Vertrauensbekenntnis setzt der Psalm ein – nur von Jahwe ist das Heil zu erwarten. Fast wörtlich kehrt V.2 in V.6 wieder; aber an die Stelle des Nominalsatzes tritt eine Selbstaufforderung. Hier spricht der Beter sich selbst Mut zu, Jahwe gegenüber stille zu werden, sich ihm anzuvertrauen. Er ist mit sich selbst offenbar nicht einig, spürt Spannungen in sich: Auf die einleitende Feststellung des Vertrauens folgt der Appell zu diesem Vertrauen, gewissermaßen auf den Indikativ der Imperativ.

Das Vertrauensverhältnis schließt das »Wanken« nicht aus (V.3), d. h. also die Anfechtung durch das Unheil. Dieses wird offenbar nicht überwunden (so der Vorgang in der kultisch gebundenen individuellen Klage), sondern ertragen. Damit zeigt sich ganz deutlich, was oben thetisch angedeutet wurde: Das Vertrauen, um das es hier geht, ist ein Zustand, der das Unheil, die Ferne Gottes, nicht hinter sich läßt, sondern damit fertig wird. Ähnliches zeigt sich übrigens auch in anderen Vertrauenspsalmen; in Ps 23 etwa wird auch bei der »Wanderung im finstern Tale«, im Bereich des Todes, Jahwes Führung erwartet, und der Tisch wird »im Angesicht meiner Feinde« gedeckt (Ps 23,4f.); weder rettet Jahwe aus dem Herrschaftsgebiet des Todes noch schaltet er den Feind aus!

Die Anfechtungen sind nun gleich in einer Feindklage ausgebreitet (V.4f.). Der Beter steht allein gegen eine Vielzahl von Gegnern – er sieht sich fast auf verlorenem Posten, und dies trotz seines Vertrauens. Auffällig ist dabei, daß der Konflikt zwischen dem Beter und den Feinden offenbar gar nicht so deutliche Fronten hat. Die Gegner »segnen mit ihrem Munde, fluchen aber mit ihrem Herzen«, sie sind also gar nicht auf den ersten Blick als Feinde Jahwes und dessen, der auf sie vertraut, zu erkennen; auch sie zählen sich wohl – jedenfalls mit ihren Worten – zu Jahwe. Das erhöht die Schwierigkeit, sich zu orientieren und in richtiger Weise an Jahwe festzuhalten. Auf die Anfechtung folgt als Antwort, wie erwähnt, die Selbstaufforderung zum Vertrauen; Vertrauen und Anfechtung gehören in nachkultischen Psalmen unabdingbar zusammen.

Vom angefochtenen Vertrauen her ist nun auch der Aufruf an andere möglich, in diesen Bereich des Bei-Jahwe-Seins einzutreten; ihm kann man die Klage vortragen, vor ihm wird die Klage ins Vertrauensbekenntnis eingebettet und damit erträglich (V.9). An dieser Stelle wird besonders deutlich, wie ein primär auf den einzelnen bezogener Vorgang jetzt für die Gemeinschaft relevant wird, ja geradezu Gemeinschaft konstituiert. Die Vergewisserung leitet an dieser Stelle zur Unterweisung über; entsprechend fließen weisheitliche Momente ein.

Von der Hinfälligkeit des Menschen wußte die Weisheit schon immer zu reden. Die Begrenzung menschlicher Einsicht und Wirkungsmöglichkeit stellt für sie einen wichtigen Faktor im Vorgang des Konstatierens von Ordnungszusammenhängen dar, oder besser einen Unsicherheitsfaktor: Der Mensch erweist sich immer wieder als nicht fähig, angemessen zu erkennen oder das Erkannte in seinem Handeln zu bedenken; das ist der Grund, warum auch der Weise manchmal in die Irre geht (vom Toren ganz zu schweigen), und die Mahnung, diese Begrenztheit in Rechnung zu stellen, hat entsprechend die Funktion, auch der eigenen Weisheit gegenüber vorsichtig und distanziert zu bleiben, sie kritisch zu beobachten und gegebenenfalls durch neue Einsichten zu revidieren.

Hier gerät das Reden von Begrenzung und Hinfälligkeit des Menschen in einen ganz neuen Kontext: Es kommt in den Zusammenhang von Vertrauensbekenntnis und -aufruf. Die Vertrauenshaltung, in welcher sich der Beter bestärkt und zu der er andere aufruft, bedeutet also nicht allein Aushalten der gottlosen Welt, sondern auch der Nichtigkeit – einer spezifischen Erfahrung des Menschen in nachkultischer Zeit, der nicht mehr in einer Gemeinschaft gehalten ist, sondern sich in extremer Weise als Einzelnen und Vereinzelten versteht (vgl. das zu Ps 39 Ausgeführte). Daß er »auf der Waage hochschnellt« (V.10) – ursprünglich ein Bild für das Wägen der Gerechtigkeit eines Menschen, die als zu leicht befunden wird – ist jetzt nicht mehr das Kennzeichen des Ungerechten, sondern des Menschen schlechthin.

Was bleibt? Woran kann sich der Mensch noch halten? Gewiß nicht an äußere Güter – davor muß gewarnt werden (V.11). Auffällig, daß durchaus mit der Möglichkeit des Vorhandenseins solcher Güter gerechnet wird. Die soziale Situation ist also nicht eindeutig ungünstig – sie darf für die Einschätzung der menschlichen Grundsituation aber keine Rolle spielen. Haben als hätte man nicht: das ist die Devise.

Der Psalm klingt aus in einem Zahlenspruch, einer weisheitlichen Redeform par excellence. Aber jetzt werden nicht mehr, wie in der ursprünglichen weisheitlichen Redeweise, Erfahrungen des täglichen Lebens aneinandergereiht, sondern Erfahrungen des Glaubens, die sich nicht verifizieren lassen und nur dem zugänglich sind, der den Schritt in die Vertrauenshaltung hinein wagt: Die Macht gehört Jahwe – obwohl die Machtverhältnisse dagegen sprechen. Auch Zuwendung kommt von Jahwe – obwohl die Feinde davon nichts merken. Er wird seine Macht einmal auch durchsetzen und den Feinden deutlich machen, was seine Abwendung bedeutet – aber davon ist jetzt noch nichts zu sehen.

7. Psalm 32

1 Wohl dem, dessen Sünde vergeben,
   dessen Schuld getilgt ist.
2 Wohl dem Manne, dem nicht anrechnet
   Jahwe die Schuld,
      und in dessen Gesinnung kein Falsch ist.
3 Da ich schwieg, zerfielen meine Gebeine,
   da ich stöhnte den ganzen Tag.
4 Denn Tag und Nacht lastete schwer
   deine Hand auf mir.

Meine ›Zunge‹ wurde verwandelt
›wie‹ in der Hitze des Sommers.
5 Da tat ich dir kund meine Sünde
und mein Vergehen verhehlte ich nicht.
Ich sagte: Bekennen will ich
Jahwe meine Freveltaten.
Du aber vergabst mir
die Schuld meines Vergehens.
6 Darum soll beten
jeder Fromme zu dir
zur Zeit, da er in ›Not‹ gerät.
Wahrlich, die Flut gewaltiger Wasser
wird ihn nicht erreichen.
7 Du bist Schutz für mich,
du rettest mich aus Not.
Mit Jubel der Rettung
umgibst du mich.
8 Ich will dich unterweisen und dich lehren den Weg, den du gehen sollst,
ich will Rat geben – mein Auge wacht über dir!
9 Seid nicht wie Roß und Maultier, ohne Einsicht,
deren Leidenschaft nur mit Zaum und Zügel zu bändigen ist –
ohne daß man dir nahe kommen dürfte!
10 Zahlreich sind die Schmerzen des Gottlosen,
wer aber auf Jahwe vertraut, den umgibt er mit Gnade.
11 Freut euch an Jahwe und jubelt, ihr Gerechten,
und jauchzt alle, die ihr aufrechten Herzens seid!

In den Aufzählungen der alttestamentlichen Weisheitspsalmen erscheint regelmäßig Ps 32; als Beleg für weisheitliche Sprache dient gern die ’ašrê-Formel, mit der der Psalm einsetzt. Freilich erscheint die Formel im Psalter weit häufiger als in den Proverbien, und zwar in Kompositionen »nachkultischer« Art. Der ’ašrê-Spruch, syntaktisch ein Nominalsatz, qualifiziert den, der auf dem rechten Weg ist und vorwärts kommt (etymologisch gehört wohl ’ašrê mit ’ašär, im qal »einhergehen, fortkommen« zusammen; ’šr pi »glücklich preisen« ist dann vom erstarrten ’ašrê denominiert. ’ašrê ist also eigentlich das »Vorwärtskommen«): »Wer in seiner Lauterkeit wandelt, ist gerecht – wohl seinen Kindern, die nach ihm kommen!« (Prv. 20,7). Die Proverbien-Belege zeigen eine Analogie zu den Psalmenbelegen: ’ašrê-Worte treten erst in spät-, oder besser: nachweisheitlichen Sprüchen gehäuft auf; ob dies ein Zufall ist? Ist vielleicht das Vorwärtskommen, das Glück so wenig selbstverständlich und unproblematisch geworden, daß es eigens proklamiert und zugesprochen werden muß? Gewiß ist die Formel in ihrer Isolierung (*’ašär erscheint überhaupt nur in der starren Form ’ašrê) seit je in Gebrauch; vielleicht handelt es sich ursprünglich um eine »Gratulationsformel«, die dann erst mit der Zeit weisheitlich ordnende und wertende Funktion im Bereich der Weisheit erhalten hätte, um hier anzuzeigen, wer *eigentlich* glücklich zu preisen sei. Diese Verwendung wäre dann in einer Entwicklungsstufe der Weisheit zu sehen, die der bereits offensichtlichen Unsicherheit über die Maßstäbe von Glück und Unglück begegnen muß. In nachweisheitlicher (und nachkultischer) Zeit ist diese Problematik natürlich ganz ins Zentrum des Denkens gerückt.

Wer wird nun in Ps 32 als glücklich gepriesen? Der, »dessen Sünden vergeben sind« (V. 1f.); damit ist die Frage gestellt, wie es zu solcher Sündenvergebung kommt. Dies erörtert der Beter jetzt an seinem eigenen Beispiel, er vergegenwärtigt sich selbst und andern, auf welche Weise der Mensch zu jenem Punkt kommt, an dem er glücklich zu preisen ist. Der Abschnitt setzt ein mit einem Rückblick, also in der Stilform des individuellen Dankliedes; wieder ist die Not nicht in einer äußeren Zwangslage gesehen, sondern in einem Fehlverhalten des Beters: Er »schwieg«, d. h. er brachte seine Sünde nicht zur Sprache – und deshalb (man beachte, daß *kî* in V. 3 – genau wie »da« in der deutschen Übersetzung – sowohl temporale als auch kausale Funktion hat) verzehrte er sich in Angst und Schrecken. Die Wende kam durch den Entschluß zum Sündenbekenntnis, wobei nach hebräischem Sprachgebrauch dieses »Bekennen« eine Spielart des Gotteslobes darstellt: Wer seine Übertretungen der Ordnungen Gottes anerkennt, anerkennt gleichzeitig den Herrschaftsbereich dieses Gottes. In dieser Weise stellt sich der Beter also dar.

Der Unterschied zum kultischen Vorgang ist bezeichnend. Natürlich gibt es auch dort die Klage, die sich an der eigenen Sündhaftigkeit orientiert, welche die Schuld bekennt und dann beantwortet wird durch den Heilszuspruch Gottes, der die Sünde vergibt und wieder in die Gemeinschaft des Lebens aufnimmt. Aber hier ist aus dem objektiven Geschehen, wie es im Kultus vermittelt wird, ein Vorgang geworden, der viel stärker die subjektive Seite beobachtet. Rückblickend konstatiert der Betende, daß seine Verweigerung des Sündenbekenntnisses eigentlich die Not verursacht hat. Die nicht aufgedeckte, nicht zur Sprache gebrachte Schuld irritiert und macht krank; weniger der objektive Sachverhalt also als vielmehr der subjektive Umgang damit. Die psychologische Seite der Schuld wird ins Bewußtsein gehoben. Der Entschluß, die Schuld zu bekennen, wird breit geschildert – ausführlicher als die Reaktion Jahwes, der daraufhin die Schuld vergibt.

Die Erfahrung des Beters wird nun sogleich didaktisch verwertet und verallgemeinert (V.6ff.): *Jeder* Fromme möge zu Jahwe beten zur »Zeit, da er in Not gerät«; jeder kommt also in die Situation der Schuld, sich als Sünder verstehen zu müssen ist durchaus normal. Um dann bestehen zu können und nicht weggespült zu werden von der »Flut gewaltiger Wasser« (ein altes Bild für die widergöttlichen Chaosgewalten) und also Gott ganz zu verlieren, ist das Sündenbekenntnis im Gebet zu Jahwe wichtig; von diesem Bekenntnis her ist dann die Vertrauensäußerung möglich, wie sie in V.7 formuliert ist. Dem Bekenntnis ist eine Mahnung vorangestellt (nicht etwa eine Heilszusage wie im klassisch kultischen Kontext): Auch der Fromme muß zum Vertrauen ermuntert und ermutigt werden.

Von dieser Situation her ergibt sich ein didaktischer Ansatz: Der Benützer des Psalms muß unterwiesen werden (V.8f.). Er wird gewarnt, sich nicht wie ein störrisches Tier zu verhalten; das Bild erinnert an die Vergangenheit des Beters, der sich zuerst nicht zum Sündenbekenntnis durchringen wollte, sondern sich dagegen sperrte. Der Einsichtige läßt es so weit gar nicht kommen, er braucht dann auch nicht »Zaum und Zügel«, also die züchtigende und erziehende Not. Natürlich wird eine derartige Mahnung nicht mehr als unmittelbare Äußerung Gottes empfunden wie das Heilsorakel im Kult. Es ist vielmehr eine Weisung, wie sie bei Lehrer und Prediger üblich ist, aber natürlich im Auftrag Gottes geschieht. Die Mahnung leitet dann in eine Sentenz über, die ähnlich summierenden Charakter hat wie der Makarismus am Anfang (V.10). Der Psalm klingt aus mit einer allgemeinen Aufforderung zum Lob, einer Stilform des imperativischen Hymnus (V.11). Normalerweise stehen solche Aufforderungen am Anfang einer Komposition; hier kann erst zum Hymnus aufgerufen werden, nachdem der Psalmist und die ihn umgebende Gemeinde vom Bekenntnis der Sünde zum Bekenntnis des Vertrauens gekommen sind. Nicht mehr die naive Erfahrung des Heils ist Grundlage des Gotteslobs, sondern die Erfahrung, daß das Unheil immer wieder bewältigt werden kann.

Der Zusammenhang von Vergewisserung und Unterweisung zeigt sich hier besonders deutlich: Das eigene Erleben wird paradigmatisch für die Gruppe fruchtbar gemacht, auch das eigene Versagen. Der Beter selbst war ein »Roß und Maultier« – damit wird die Mahnung, sich nicht so zu verhalten, glaubhaft und bleibt nicht im Bereich überheblich-moralisierender Belehrung. Nur wer die Existenz im Vertrauen selbst eingeübt und auch die dazu gehörigen Krisen durchlebt hat, kann anderen in der Einübung dieser Existenz behilflich sein.

8. Psalm 49

2 Hört dies, ihr Völker alle,
  lauscht, alle Bewohner der Welt!
3 Ihr Menschen, ihr Sterblichen,
  Reiche und Arme zusammen!
4 Mein Mund redet Weisheit,
  das Sinnen meines Herzens ist Einsicht!
5 Ich neige mein Ohr dem Merkspruch zu,
  ich beginne meine Rätselrede mit Leierbegleitung:
6 Warum sollte ich mich fürchten in bösen Tagen,
  wenn mich die Untat meiner Gegner umgibt,
7 die auf ihre Schätze vertrauen
  und sich der Menge ihres Reichtums rühmen?
8 ›Sicherlich‹: Der Mensch kann kein Lösegeld bezahlen,
  er kann ›Jahwe‹ kein Sühnegeld vergüten,
10 daß er in Ewigkeit weiterleben könnte,
  ohne daß er das Grab sähe.
11 Ja, man sieht, daß die Weisen sterben,
  Tor, Narr, allesamt gehen sie zugrunde.
12 Ihre ›Gräber‹ sind ihre Behausungen für immer,
  ihre Wohnstätten von Geschlecht zu Geschlecht.
  Sie haben ihr Eigentumsrecht über Ländereien geltend gemacht
  und dann hinterlassen sie ihre Schätze anderen.
13 Der Mensch in der Blüte ›bedenkt‹ nicht,
  daß er dem Vieh gleicht, das abgetan wird.
14 Das ist der Weg derer, die voller Verblendung sind,
  die ›Zukunft‹ derer, denen das eigene Reden gefällt:
15 ›Wie Schafe weidet sie der Tod,
  zur Unterwelt müssen sie sich wenden,
    und herabsteigen geradewegs ins Grab.
  Ihre Gestalt ist vermodert,
    die Unterwelt ist ihre Wohnung.‹
16 Doch ›Jahwe‹ wird meine Seele freikaufen,
  aus der Gewalt der Unterwelt wird er mich gewiß entrücken!
17 Fürchte niemanden, weil er vermöglich ist,
  weil der Reichtum seines Hauses groß ist,
18 denn bei seinem Tod wird er dies alles nicht mitnehmen können,
  sein Reichtum wird ihm nicht nach unten folgen.
19 Zwar preist er sich selbst zu seinen Lebzeiten,
  und ›er‹ lobt es, wenn es ›ihm‹ gut geht,
20 aber ›er‹ kommt zum Geschlecht seiner Väter,
  wo man das Licht niemals sieht.
21 Der Mensch in der Blüte hat keine Einsicht,
  er gleicht dem Vieh, das abgetan wird.

(Vorbemerkung: Die Glosse V.9 ist in der Übersetzung weggelassen.)

Einen universalen Geltungsbereich beansprucht der Psalm in seiner

Einleitung: Die ganze Welt ist angeredet, arm und reich; hier wird eine Sache zur Diskussion gestellt, die schlechterdings jeden betrifft, ein anthropologisches Grundproblem. Dabei geht es wirklich um Diskussion, problematisierende Erörterung; der Eingang des Psalms ist zutreffend als »Lehreröffnung« charakterisiert worden, ein für weisheitliche Belehrung typischer Redebeginn. Aber statt der konkreten Anrede des zu belehrenden Schülers erscheint nun der Mensch schlechthin. Der »Spruch«, der zu formulieren ist, geht jeden zu jeder Zeit etwas an. Er ergeht in der Form einer *ḥîdā*, eines Rätsels (V.5). Dies ist eine der geläufigen weisheitlichen Redeformen: Im Rätsel präzisiert der Weise die offene Frage, vor die er sich gestellt sieht; in der Formulierung der Antwort zeigt sich dann ein Element konstatierender Beschreibung der Wirklichkeit. So weit scheinen sich also ausschließlich weisheitliche Elemente des Redens zu finden. Erstaunlich ist nur, daß der Sprecher seine Rätsel-Erörterung unter Harfenbegleitung vorzutragen gedenkt. Dies ist sonst eine Eigenart des Vortrags von Liedern. Tatsächlich zeigt der folgende Kontext, daß die Theamtik von Kultliedern verarbeitet ist. Das Kultlied, genauer das Klagelied ist in den Bereich der Reflexion, des Fragens und Durchdenkens, geraten.

Wo findet sich nun die Formulierung des Rätsels? Am einfachsten sucht man sie gleich im folgenden V.6, der ja als Frage formuliert ist. Es ist freilich eine althergebrachte Frage, wie sie in Klagen immer wieder laut wird. »Warum?« – so tritt der Leidende vor Gott, er versteht sein Leiden nicht und wird nicht mit ihm fertig. Dieses »warum« ist in höchstem Maße affektiv gefärbt, es ist eine anklagende Frage, die viel weniger nach den rationalen Gründen des Leidens als vielmehr nach dem unverständlichen Verhalten Gottes fragt, der die Elendssituation zuläßt und die Feinde wirken läßt. Die Klage-Frage ist hier zur *ḥîdā*-Frage erweitert. Das bedeutet nicht, daß jetzt der Affekt, die persönliche Betroffenheit ausgeschaltet wäre; vielmehr erhält das Fragen eine neue Dimension, und zwar die der Reflexion. Die Klagesituation wird als nicht einmalige und außergewöhnliche, sondern als zum Menschen gehörige Situation durchdacht. Dem Inhalt nach geht es um das bekannte Problem, daß die Feinde des Beters (und damit Gottes) in Frieden und Wohlergehen leben können. Statt daß sie sich auf Jahwe verlassen, verlassen sie sich auf die eigene Macht; statt daß sie Jahwe loben, loben sie sich selbst: Trotzdem geht es ihnen gut.

Auf dieses Rätsel des Lebens folgt nicht gleich die Antwort, sondern zunächst stellt der Psalmist allgemeine Reflexionen über das Mensch-Sein an (V.8ff.). Was vermag der Mensch überhaupt, wo

sind seine Grenzen? Er ist auf jeden Fall nicht imstande, sein To-
desgeschick zu wenden; mit keinem Reichtum wäre er dazu fähig.
Im Tode verliert der Mensch sich selbst, und um diesem Verlust
vorzubeugen, müßte der Mensch imstande sein, sich mit einem Ge-
genwert seiner selbst auszulösen. Dahinter steht die Vorstellung,
daß Gott, der ja hinter den Regeln des natürlichen Lebens steht, gewissermaßen das Leben einfordert, er also die Instanz wäre, bei der
der Todesunwillige sein Leben auszulösen hätte. Aber dies gibt es
nicht: Das Todesschicksal ist allgemein.
Die Reflexion geht nun über den glücklichen, auf seinen Reichtum
vertrauenden Feind des Betenden hinaus. Auch der Weise stirbt,
der sich doch an Jahwes Lebensordnung hält; auch er verliert sich
selbst. Das Rätsel, das sich der Psalmist aufgibt, ist damit noch
nicht gelöst, wohl aber präzisiert. Das Glück des Gottlosen ist nur
ein sehr vordergründiges Gut, es leistet nicht, wessen der Mensch
letztlich bedarf: Es gibt dem Menschen nicht seine bleibende Identität, sondern läßt ihn schlußendlich doch der Verlorenheit an-
heimfallen. Der reiche Narr ist insofern unglücklicher dran als der
Weise, als er dieses Schicksal nicht durchschaut; er ist dem Vieh zu
vergleichen, das stumpf und einsichtslos dahinvegetiert und nicht
merkt, daß der Tod sein Hirte, die Schlachtung seine Zukunft ist.
Mythologische und alltägliche Bilder verdichten sich unüberbiet-
bar.
Die eigentliche Lösung des Rätsels aber kommt in V.16; dies ist for-
mal schon dadurch angezeigt, daß – wie in V.6 – in der 1. Person geredet wird. Aber auch die an die Rätselformulierung anschließende
Reflexion wird aufgenommen; diese setzte mit dem Stichwort *pa-
dā* ein (V.8): Der Mensch vermag sich nicht loszukaufen vom To-
desgeschick erfolgt, wird nicht verdeutlicht. *laqăḥ*, der terminus
aber *mich* frei. Die Art und Weise, wie diese Befreiung aus dem To-
desgeschick erfolgt, wird nicht verdeutlicht. *laqă.ḥ*, der terminus
technicus für die Entrückung, wird verwendet. Der Gewißheit des
Todes wird die Gewißheit der Gemeinschaft mit Gott zugesellt;
und das bedeutet bleibenden Gewinn des eigenen Lebens und der
eigenen Identität.
Auf die *ḥîdā* erwartet der Weise, wie gesagt, einen konstatierenden
Spruch als Antwort. Aber in diesem Falle ist diese Antwort nicht
allgemein konstatierend; der Betende redet nicht von einer Entrük-
kung aller Menschen. Die Antwort hat die Form eines Vertrauens-
bekenntnisses, sie gilt für den, der diesen Psalm betet. Die Erfahrung, die hier zur Sprache kommt, ist nicht für jeden evident wie etwa das Todesschicksal; es ist eine Erfahrung des Glaubens.

In weisheitlicher Manier setzt der Psalm des Rätsels Lösung sogleich in eine Mahnung um: Die erkannte Wirklichkeit soll nun Richtschnur eines ihr angepaßten Verhaltens werden. Freilich ist der Wortlaut *'ăl tîra'*, »fürchte dich nicht!«, dem Hörer nicht aus weisheitlichen, sondern aus kultischen Texten geläufig; dies ist die Eröffnungsformulierung des Heilsorakels, das dem Klagenden Leben zuspricht. So zeigt sich wieder eine eigenartige Verschränkung kultischen und weisheitlichen Redens – genau wie in V.6, wo die Klage-Frage zur *ḥîdā* geworden ist; hier ist das Erhörungsorakel zur Mahnung geworden, die zu einem Leben hinführt, das auch angesichts des Todes mit Gott verbunden bleibt.

Wie es sich in angemessener Unterweisung gehört, repetiert der Psalm nun nochmals einiges. Der gottlose Reiche stellt offenbar die Hauptanfechtung dar; so dient er nochmals als Beispiel der Allgemeinheit des Todesgeschicks. Diese Allgemeinheit ist außerordentlich wichtig; sie gibt die Basis für den Neuansatz ab, von dem her jetzt von der Gemeinschaft des Glaubenden mit Jahwe geredet werden kann.

Im Psalm wird deutlich, daß die an das Rätsel anschließende Reflexion nicht einfach von sich aus zur Lösung führt. Das Vertrauensbekenntnis ist keine Folge der Welterfahrung; die Einsicht in den Tod als Grundbefindlichkeit menschlicher Existenz schafft die Gemeinschaft mit Gott nicht. Aber erst wenn jene Einsicht vollständig erfahren und erfaßt ist, ist die Vergewisserung der Gegenwart Gottes möglich und Einübung in die Existenz mit Gott denkbar.

9. Psalm 37

1 Erhitze dich nicht über die Übeltäter,
  ereifere dich nicht über die, die Unrecht tun,
2 denn wie das Gras welken sie geschwind dahin,
  und wie das grüne Kraut trocknen sie ein.
3 Vertrau auf Jahwe und tue Gutes,
  bewohne das Land und übe Treue.
4 Erquicke dich an Jahwe,
  so wird er dir geben,
    was dein Herz begehrt.
5 Befiehl Jahwe deinen Weg
  und vertrau auf ihn,
    er wird's vollbringen.
6 Er wird deine Gerechtigkeit wie das Licht erscheinen lassen
  und dein Recht wie den Mittag.
7 Sei stille zu Jahwe
  und warte auf ihn,

erhitze dich nicht über den, der Glück hat auf seinem Weg,
den Menschen, der Ränke schmiedet.
8 Laß ab vom Zorn, vermeide die Wut,
laß dich nicht dazu hinreißen, Böses zu tun.
9 Denn die Übeltäter werden ausgerottet,
die aber auf Jahwe hoffen, die werden das Land besitzen.
10 Über ein Kleines, so ist's aus mit dem Gottlosen,
suchst du nach seinem Aufenthaltsort, so ist er nicht mehr da.
11 Die Armen aber werden das Land besitzen
und sich eines Überflusses an Wohlfahrt erfreuen.
12 Der Gottlose stellt dem Gerechten nach
und fletscht seine Zähne gegen ihn –
13 der Herr lacht ihn aus,
denn er sieht, daß sein Tag herbeikommt.
14 Das Schwert zücken die Gottlosen
und spannen ihren Bogen,
um den Elenden und Armen zu Fall zu bingen,
um die, die auf geradem Weg sind, hinzuschlachten.
15 Ihr Schwert dringt durch ihr eigenes Herz,
und ihre Bogen werden zerbrochen.
16 Besser geringes Gut, das dem Gerechten gehört,
als ›großer‹ Reichtum von Gottlosen,
17 denn die Macht der Gottlosen wird gebrochen,
doch Jahwe unterstützt die Gerechten.
18 Jahwe kennt die Tage der Untadeligen,
ihr Erbe wird in Ewigkeit bestehen.
19 In böser Zeit werden sie nicht zunichte,
und in der Hungersnot werden sie satt.
20 Denn die Gottlosen gehen zugrunde, die Feinde Jahwes,
wie prächtige Auen enden sie, enden im Rauch.
21 Der Gottlose entleiht und gibt nicht zurück,
der Gerechte aber ist gütig und freigebig.
22 Ja, die von ihm gesegnet sind, werden das Land besitzen,
die von ihm verflucht sind aber, die werden vernichtet werden.
23 Von Jahwe her haben die Schritte eines Mannes Bestand,
so daß sein Weg ihm wohlgefällig ist.
24 Kommt er schon zu Fall, so stürzt er doch nicht,
denn Jahwe stützt seine Hand.
25 Ich bin jung gewesen und alt geworden –
doch nie sah ich einen Gerechten verlassen,
dessen Nachkommenschaft um Brot hätte betteln müssen.
26 Die ganze Zeit ist er freigebig und leiht aus,
doch seiner Nachkommenschaft gereicht es zum Segen.
27 Halt dich fern vom Bösen und tue Gutes
und bleib in Ewigkeit wohnen.
28 Denn Jahwe liebt Gerechtigkeit,
und er verläßt seine Frommen nicht;
auf ewig sind sie behütet,
während das Geschlecht der Gottlosen ausgerottet wird.

29 Die Gerechten werden das Land besitzen
   und in Ewigkeit darin wohnen bleiben.
30 Der Mund des Gerechten besinnt sich auf Weisheit,
   und seine Zunge spricht Gerechtigkeit aus.
31 Die Weisung seines Gottes ist in seinem Herzen,
   so daß seine Schritte nicht wanken.
32 Der Gottlose lauert dem Gerechten auf,
   und er sucht ihn zu töten,
33 aber Jahwe verläßt ihn nicht mit seiner Macht
   und setzt ihn nicht ins Unrecht, wenn er angeklagt wird.
34 Hoffe auf Jahwe
   und achte auf seinen Weg,
   so wird er dich erheben, um das Land in Besitz zu nehmen,
   bei der Ausrottung der Gottlosen siehst du zu.
35 Ich sah einen Gottlosen, gewaltig
   und ausladend wie eine grüne ›Zeder‹,
36 doch als ›ich‹ vorüberkam – siehe, da war er verschwunden,
   ich suchte nach ihm, doch er ließ sich nicht finden.
37 Bewahre ›Unschuld‹ und ›übe Redlichkeit‹,
   denn der Mann des Friedens hat Zukunft.
38 Die Übeltäter aber werden allesamt ausgemerzt,
   die Zukunft der Gottlosen wird zunichte gemacht.
39 Das Heil der Gerechten kommt von Jahwe,
   er ist ihre Zuflucht in der Notzeit.
40 Jahwe hilft ihnen und errettet sie,
   er errettet sie vor den Gottlosen und befreit sie,
   ja, sie finden Zuflucht bei ihm.

Der Aufbau des Psalms ist zunächst an einem ganz formalen Schema orientiert: dem Alphabet. So hat das Gedicht 22 meist zweizeilige Strophen, die fortlaufend mit den Buchstaben des hebräischen Alphabets beginnen.

Diese Eigenheit hat sicher ihre didaktische Seite: Die Strophenanfänge können gut im Gedächtnis behalten werden, gleichzeitig wird das Alphabet in seiner Reihenfolge eingeübt. Es ist wahrscheinlich, daß eine derartige Komposition beim Schreiben- und Lesenlernen eine Rolle spielt. Ähnliche Werke sind auch aus Nachbarkulturen Israels belegt; sie haben ihre primäre Funktion offenbar im Unterricht.

Abgesehen von dieser alphabetischen Ordnung läßt sich ein deutlicher Aufbau nicht feststellen; diese Eigenschaft teilt Ps 37 mit der Mehrzahl der andern alphabetischen Psalmen. Die einzelnen Strophen sind in sich geschlossen und könnten genausogut in anderer Reihenfolge erscheinen. Dies erinnert stark an weisheitliche Spruchsammlungen, wo auch in vielen Fällen die Reihenfolge der

einzelnen Stücke als ganz zufällig erscheint oder nur nach ganz oberflächlichen Gesichtspunkten gestaltet ist. Auch die Redeformen entsprechen denen der Weisheit; einerseits finden sich Mahn- und Warnworte, andererseits Wahrsprüche. Erstere sind häufig mit einer Begründung bzw. mit der Angabe des Zieles von Mahnung oder Warnung versehen. Inhaltlich findet sich manches, was auch genuine Weisheit hätte äußern können – besonders im Bereich der Wahrsprüche (z. B. V.21.23). Häufiger jedoch zeigen sich Inhalte, die den Psalmen eigentümlich sind. Manche Mahnungen rufen zum Vertrauen auf Jahwe auf (V.3,5,7,34); dem gegenüber treten Mahnungen, das Rechte zu tun, zurück (V.27,37). Das Vertrauen zu Jahwe ist also die Basis, von der her die andern Ermahnungen verstanden und die konstatierenden Sprüche nachvollzogen werden können. Die Warnungen wollen die Irritation durch das Glück der Gottlosen in Schach halten; über sie darf kein Zorn aufkommen (V.1,7) – dadurch könnte die Vertrauensbasis zu Jahwe erschüttert werden, das Zutrauen zu einer Ordnung Jahwes, die nicht sichtbar ist und doch die Grundlage für das Leben des Frommen bildet. Interessant ist in diesem Zusammenhang V.8; die Mahnung vor schnellem Zorn ist genuin weisheitlich, aber im jetzigen Zusammenhang ist der Kontext, in dem es zu solchem Zorn kommt, eben das Glück der Gottlosen. Daß dieses Glück ein Scheinglück ist und bald ein Ende finden wird, zeigt sich immer wieder – so z. B. in V.9, der Begründung der vorhergehenden Warnung vor dem Zorn, und in den darauf folgenden Versen, die konstatierenden Charakter haben und in sich mehr Zusammenhang zeigen als die anderen Partien des Psalms. Hier kommt es zu einer Schilderung der Feinde, die noch deutlich die Diktion der Klagepsalmen aufweist; auch die Zeichnung der Überlegenheit Jahwes über die Feinde stammt aus dem Arsenal kultischer Vorstellungen.
Die Unterweisung ist also der Elementarvorgang dieses Textes. Zu dieser Unterweisung gehört eine Verheißung. Zunächst wird dem Unterwiesenen zugesagt, daß er satt werden und keinen Mangel haben wird (V.19.25). Dies ist wohl als Verheißung für den Alltag der Unterwiesenen zu verstehen: Sie brauchen sich um ihren Lebensunterhalt nicht zu ängstigen, Jahwes Fürsorge wird das zum Leben Nötige garantieren. Aber viel häufiger, damit offenbar viel gewichtiger, ist die andere Verheißung; sie verspricht den Besitz des Landes (V.3,9,11,22,27,29,34). Hier zeigt sich tatsächlich der rote Faden, der durch den Psalm geht. Landbesitz ist *das* Heilsgut Israels, die Unterwiesenen werden also als Glieder des wahren Israel ange-

redet, das zwar jetzt noch nicht das Land besitzt, dem dies aber verheißen ist. In der Gegenwart ist dieses wahre Israel noch eine verborgene Größe – noch triumphieren die Feinde. Die »Armen«, die »auf Jahwe warten« (V.11,9), harren aus und orientieren sich an Gottes *tôrā* (V.31).

Auffällig ist, daß an zwei Stellen weder ein Du angesprochen und ermahnt noch distanziert in der 3. Person geredet wird, sondern das Ich des Lehrers erscheint. Er spricht seine Erfahrung aus – die Erfahrung dessen, der selbst die gelehrte Unterweisung verwirklicht und in Leben umgesetzt hat. Die eine Stelle bezieht sich auf das Auskommen des Gerechten – »nie sah ich einen Gerechten verlassen noch seine Kinder betteln um Brot« (V.25). Die andere beschreibt das Geschick eines Gottlosen, den der Lehrer hat stürzen sehen (V.35). Beide Alltagserfahrungen lassen sich für den Schüler und jeden, der den Psalm nachbetet, nachvollziehen. Beide haben Hinweischarakter auf den Inhalt der Zukunftshoffnung, daß der Fromme nicht nur gerade seinen Hunger stillen kann, sondern das Land besitzt, und daß nicht nur ein einzelner Frevler umkommt, sondern die Frevler insgesamt zugrundegehen. Aber dies ist Gegenstand der Erwartung, nicht der Erfahrung. Beides hält der Psalm sorgfältig auseinander.

III. Nachkultische Dichtung außerhalb des Psalters

Die besprochenen Psalmen sind beispielhaft ausgewählt aus einer weit größeren Zahl von Kompositionen im Psalter, die sich im Hinblick auf Funktion und Intention mit ihnen vergleichen lassen, sich also nicht den klassichen Gattungen zuordnen lassen. Aber auch in anderen alttestamentlichen Schriften gibt es Texte, die mit den beschriebenen nachkultischen Psalmen vergleichbar sind, in denen sich ähnliche Lebensvollzüge und ähnliche Inhalte abzeichnen. Dazu sollen nun noch einige Hinweise gegeben werden. Die genannten Textkomplexe sind meistenteils in sich voller exegetischer Probleme; darauf kann in diesem Rahmen nicht eingegangen werden. Wohl aber kann die Fragestellung, die sich von den erörterten Psalmen her ergibt, Ansatzpunkte für eine weitere Diskussion der zu nennenden Texte geben.

1. Die Hiob-Dichtung

Bekanntlich werden die Abschnitte der Hiob-Dialoge ihrer Redeform nach sowohl dem kultischen wie dem weisheitlichen Bereich zugeordnet; beides zu Recht. Ebenso unbestritten müßte aber sein, daß man nicht einfach von kultischen und weisheitlichen Gattungen, die im Hiobbuch vorhanden wären, reden kann. Die Klagen Hiobs haben bei aller Ähnlichkeit in der Redeweise nicht denselben Ort und nicht dieselbe Funktion wie eine individuelle Klage, die im Bereich des Kultus gesprochen wird und deren Ziel es ist, den Klagenden wieder im Raum des Lebens zu integrieren. Ebensowenig gehen die Texte von der weisheitlichen Grundvoraussetzung aus, daß der Welt eine Ordnung innewohnt, die dem Menschen prinzipiell zugänglich wäre. Die kultischen und weisheitlichen Redeformen sind in der Hiob-Dichtung in ihrem gegenseitigen Zusammenhang zu betrachten; daraus wird ihre Funktion deutlich.
Die Klagen Hiobs bleiben ohne Antwort; kein Heilsorakel antwortet ihnen, sondern vielmehr die Belehrung der Freunde. Dem Inhalt nach leidet Hiob in derselben Weise wie jeder, der die Klage des einzelnen anstimmt: Er ist aus dem Leben ausgeschlossen und findet sich nicht mehr zurecht. So wendet er sich an Gott – und findet keine Zuwendung. Das Defizit an Leben bleibt, der Klagevorgang kommt nicht zu seinem Ziel.
Die Freunde Hiobs erörtern die Klagesituation Hiobs mit den Mitteln der Weisheit, sie suchen die Ordnung aufzuweisen, in der auch

die Lage Hiobs ihren Ort hat, so daß sie zu bewältigen wäre. Aber es gelingt ihnen nicht, Hiob seine Situation durchsichtig zu machen; die weisheitliche Interpretation ist nicht hilfreich, im Gegenteil, sie verletzt und führt noch tiefer in die Klage. Mit weisheitlichen Mitteln ist die Welt des Hiob nicht mehr zu erhellen.

Die Antwortsrede Gottes (Hi 38ff.) beschließt die Hiob-Dichtung. Auch sie ist an kultischen wie weisheitlichen Redeformen orientiert: Gott stellt seine Schöpfertätigkeit vor. Aber die Schöpfung, die hier zu Gesicht kommt, ist nicht die freudig bestaunte, gute Welt, wie der Hymnus sie darstellt, auch nicht die durchsichtige Welt, wie sie dem Weisen vor Augen liegt, sondern eine unbegreifliche Welt Gottes, die wohl ihre Ordnungen hat – Ordnungen aber, die dem Menschen undurchsichtig sind. Die Theophanie Jahwes ist zwar in traditionellen Farben gemalt, aber sie beinhaltet nicht mehr ein Zurechtrücken der Welt nach den seit je bekannten Maßstäben Gottes, sondern die Offenbarung eines göttlichen Ordnungsplanes, der dem Menschen an sich unzugänglich ist. Immerhin: Hiob bekommt seine Antwort, er erfährt Zuwendung Gottes, ohne daß ihm freilich das Rätsel seines Daseins geklärt würde.

All dies macht deutlich, daß man die Hiob-Dichtung als nachkultisch und nachweisheitlich bezeichnen kann; die Denkformen und Lebensvollzüge von Kult und Weisheit kommen nicht mehr zu ihrem Ziel. Sie werden umgestaltet zu einer neuen Orientierungsmöglichkeit des Menschen. Die der Gesamtaussage der Hiob-Dichtung entsprechende Haltung ist die des Vertrauens, das in der Art zu beschreiben wäre, wie die besprochenen Psalmen dies tun.

2. Die Konfessionen Jeremias

Die Abschnitte Jer 11,18–23; 12,1–6; 15,10–21; 17,14–18; 18, 18–23; 20,7–18 spiegeln in je verschiedener Weise den Klage-Erhörungs-Vorgang wider. Durch seinen Auftrag zieht sich der Prophet die Feindschaft seiner Mitbürger zu und gerät so in die Position des Ausgestoßenen, der keinen Platz mehr in der Gemeinschaft des Lebens hat. So kommt es zur Klage, in erster Linie zur Feindklage. An einigen Stellen ist auch eine Antwort Gottes erhalten; sie besteht beispielsweise aus einer Unheilsankündigung gegen die Feinde (11,22f.), aus einem eigentlichen Heilsorakel (15,11), aus einer bedingten Heilszusage (15,19f.). Aber es gibt auch die unbeantwortete Klage. Die in der jetzigen Textfolge letzte der Konfessionen endet mit einer unüberbietbaren Äußerung des Leidens, der Verfluchung des eigenen Lebens (20,14–18).

66

Die übliche Exegese der Konfessionen rechnet damit, daß der Prophet diese Abschnitte ursprünglich für sich selbst geschrieben hat, daß sie damit der Ausdruck seines persönlichsten Erlebens wären. Erst später – vielleicht nach seinem Tode – hätte man dann die Sammlung der Gedichte der Öffentlichkeit bekannt gemacht, die einzelnen Lieder unverständlicherweise auseinander gerissen und auf die jetzigen Kapitel 10–20 des Jeremiabuches verteilt.

Wie im Hinblick auf die besprochenen Psalmen ist zu fragen: Was bedeutet es, wenn ein derartiger Text tradiert, also immer wieder neu benützt wird? Welche Funktion haben die Texte im Kontext der Sammlung typisch prophetischer Worte, vor allem von Unheilsankündigungen?

Bei der letzten Frage angefangen: Die Konfessionen bringen neben der Botschaft auch die Person des Propheten ins Spiel. Die Wirkung der prophetischen Botschaft zeichnet sich damit ab – und zwar nicht in erster Linie die Wirkung für den Adressaten, sondern die Wirkung für den, der diese Botschaft ausrichtet. Prophet zu sein, führt in die Klagesituation, in die Isolation, an den Rand des Lebens. Dies ist gewiß für den Propheten selber eine zentrale Erfahrung, aber nicht nur für ihn, sondern auch für die prophetische Gemeinde, welche die ergangenen Worte sammelt, bearbeitet und weiterträgt. Die Überlieferung der prophetischen Botschaft führt zur Nachfolge in der prophetischen Existenz. Das Leiden des Propheten muß von dem, der ihm nachfolgen will, mit übernommen werden; die sprachlichen Möglichkeiten, dies zum Ausdruck zu bringen, stehen in der Klage des einzelnen zur Verfügung.

Daß also die prophetische Botschaft mit derartigen Abschnitten, in denen prophetische Erfahrung zum Ausdruck kommt, durchsetzt ist, ist von der Situation der Schülergemeinde her überhaupt nicht erstaunlich. In den »Konfessionen« findet sich der Schüler, der dem Meister nachzufolgen versucht, wieder.

Demgegenüber ist die Frage nach der Verfasserschaft der Texte von minderem Rang. Die Erfahrungen Jeremias beim Ausrichten seiner Botschaft waren gewiß nicht unähnlich dem, was in den Konfessionen zur Sprache kommt. Ob Jeremia aber als Verfasser aller oder wenigstens einzelner dieser Abschnitte in Frage kommt, ist fraglich. 15,10ff. beispielsweise ist in höchstem Maße in die Gesamtkonzeption von 14–15 einbezogen; diese Gesamtkonzeption aber ist deutlich durch die prophetische Schule geprägt, welche grundsätzlich den Zusammenhang von Klage und Fürbitte, Heils- und Unheilsprophetie und schließlich auch das Problem der Existenz des Unheilspropheten in seinem Volk durchdenkt. So wird man hier an Gestaltung der Klage und ihrer Kontexteinbettung durch die prophetische Gemeinde zu denken haben. Doch ist damit nicht ausgeschlossen, daß andere Konfessionen von Jeremia selber stammen.

Kultische Redeformen dienen hier also dazu, die Erfahrungen der prophetischen Schülergemeinde zur Sprache zu bringen. Wieder handelt es sich nicht um eigentliche Kultvorgänge, man kann also auch hier von nachkultischem Reden sprechen. Die Konfessionen weiterzubenützen, gestattet die Identifikation mit dem leidenden Propheten, an dem man sich orientiert. Mit ihm zusammen gilt es, die Forderung Gottes nach Anerkennung seiner Herrschaft und Gerechtigkeit in einer Umwelt durchzuhalten, die sich diesen Ansprüchen widersetzt. Diese Situation aber zeigt eine große Nähe zu der in den besprochenen Psalmen aufgewiesenen.

3. Die Loblieder in Qumran

Alle Psalmen der Rolle 1QH beginnen mit einer Stilform des individuellen Dankpsalms: *'ôdᵉka *ᵃdonaj kî* . . . »Ich danke dir Herr, denn/daß . . .«. Worin besteht nun die Rettung, auf die der Beter zurückblickt? Sie ist zum Teil ganz konventionell dargestellt: »Grube und abgründige Unterwelt« sind überwunden (III,19), der Ansturm der Feinde ist abgewehrt (II,21ff.).

Aber diese Befreiung hat einen ganz andern Charakter als im kultischen Dankvorgang. Der Beter wird durch sie nicht in seine Familie integriert, sondern aus ihr herausgenommen (IV,9); er wird aus seinen alten Bindungen innerhalb einer verkehrten Gemeinde befreit (II,31ff.) und in eine neue Gemeinde eingegliedert (VII,10ff.). Er lernt Geheimnisse kennen, die ihm bis jetzt nicht offenbar waren, und die ihm das eigentliche Wesen der Welt zeigen (I, 21).

Dabei ist deutlich, daß die Not nicht einfach zurückliegt, sondern noch andauert (IX,4ff.). Die Vernichtung der Feinde steht noch bevor: offenkundig wird Jahwes Herrschaft erst in Zukunft werden. Auch bei diesen Lobliedern ist die Verfasserfrage gestellt worden; man hat an den »Lehrer der Gerechtigkeit« gedacht, den Gründer oder mindestens prägenden Lehrer der in Qumran lebenden Essener. Dies ist nicht auszuschließen, die Fragestellung ist aber – genau wie im Hinblick auf die Konfessionen Jeremias – von untergeordneter Bedeutung. Die Hodajot konnten von den Gemeindegliedern Qumrans nachgebetet werden. Hier sprach sich ihre Erfahrung aus. Das Beten eines Lobliedes vergewisserte den in Qumran lebenden Menschen seiner grundlosen Erwählung durch Jahwe, der ihn aus seinen bisherigen sozialen und religiösen Bindungen herausgeholt und in die erwählte Gemeinde eingefügt hat. Daß die Lösung aus den alten Bindungen mit vielen Schwierigkeiten, Schmerzen und unter viel Anfechtung und Anfeindung vor sich gegangen ist, ist eine Erfahrung, die sicher keinem erspart geblieben ist.

Die Hodajot aus Qumran sind in ihrer Funktion deshalb viel deutlicher zu beschreiben als andere nachkultische Psalmen, weil die Gruppe, innerhalb derer sie gebetet werden, aus den anderen literarischen Quellen sowie aus archäologischen Aufschlüssen einigermaßen bekannt ist. So sind die Lebensformen aus Gemeinde- und Gemeinschaftsregel sowie der Damaskusschrift zu ersehen. Hier wird deutlich, wie streng die Gemeinschaft durchorganisiert ist, wie sie alle Einzelheiten des Zusammenlebens regelt und sich völlig von der Umwelt abriegelt, um als »wahres Israel« ganz gesondert zu existieren; die Archäologie hat bestätigt, daß die Qumran-Gemeinde im wesentlichen autark gewesen sein muß. Der Berufungsgewißheit entspricht ein höchster Grad an Bemühung um ein der Tora entsprechendes Leben.

Aber noch eine dritte Art von Texten ist zu nennen, und zwar die apokalyptischen Entwürfe (besonders in der Kriegsrolle, auch in CD). Hier wird die Zukunftserwartung der Gemeinde ausführlich thematisiert. Sie rechnet mit einem endzeitlichen Kampf zwischen den »Söhnen des Lichts« und den »Söhnen der Finsternis«, der die Entscheidung und Durchsetzung der Herrschaft Gottes bringen wird; Belial und sein Anhang dagegen werden vernichtet. Die Apokalypse erscheint gewissermaßen als »Komplementärgattung« zu den Dankpsalmen und den Regeln: In den Dankpsalmen vergewissert sich der Mensch des für ihn und seine Gemeinschaft bestimmten Heils; die Regeln bieten ihm Lebensordnungen an, in denen er diesem Heil entsprechend leben kann; und die Apokalypsen entwerfen eine Zukunft, in der das Heil vor aller Augen offenbar werden wird und nicht mehr der Anfechtung ausgesetzt ist.

Natürlich wäre es wichtig, zu wissen, welche »Komplementärgattungen« innerhalb der Gemeinschaften in Gebrauch waren, die die vorher besprochenen Psalmen benützten. Waren hier auch Apokalypsen bekannt? Gab es hier auch Gemeinderegeln? Oder wurde die Tora anders konkretisiert?

4. IV Esra

Das vierte Esra-Buch ist eine apokalyptische Schrift, die bald nach der Zerstörung Jerusalems durch die Römer geschrieben worden sein dürfte, wahrscheinlich zur Zeit Domitians (81–96 n. Chr.). Das Buch stellt sich als Gespräch zwischen Esra und dem Engel Uriel dar, der als angelus interpres die Probleme Esras schrittweise klärt.

Dabei ist es Esra, der das Gespräch in Bewegung setzt. Seine Äußerung ist eine Klage, die häufig die Gestalt einer Anklage annimmt. Esra eröffnet seine Rede folgendermaßen: »Im dreißigsten Jahre nach dem Untergang der Stadt verweilte ich, Salathiel (der auch Esra heißt) in Babel, und als ich einmal auf meinem Bette lag, geriet ich in Bestürzung, und meine Gedanken gingen mir zu Herzen, weil ich Zion verwüstet, Babels Bewohner aber im Überfluß sah. Da ward mein Gemüt heftig erregt, und in meiner Angst begann ich, zum Höchsten zu reden.« Der Verfasser schreibt unter der Figur Esras, das babylonische Exil wird als Parallele zum Untergang Jerusalems im Jüdischen Krieg gesehen. Das Grundproblem, mit dem Esra nicht fertig wird, ist das der Verborgenheit der Ordnung Gottes: Die Babylonier sind nicht gerechter als die Israeliten, und wenn auch die Allgemeinheit der Sünde durchaus zugestanden wird, ist doch ein so unterschiedliches Schicksal nicht einzusehen.

Die Antwort des Engels betont zunächst – genau wie das Hiob-Buch – die Unerkennbarkeit der göttlichen Ordnungen für den Menschen. Damit aber gibt sich Esra nicht zufrieden, und weil er hartnäckig auf seiner Klage besteht, wird ihm Stück für Stück dieser göttlichen Geheimnisse entschleiert. Im Mittelpunkt steht dabei durchwegs das baldige Weltende, welches das Weltgericht und damit verbunden die Durchsetzung der Herrschaft Gottes bringen wird.

Besonders instruktiv ist in dieser Komposition der Zusammenhang zwischen Klage und Offenbarungsrede. Letzere ist die Antwort auf die hartnäckig und dauerhaft geäußerte Klage. Man wird hierin nicht nur ein Element der schriftstellerischen Komposition sehen, sondern auch einen Hinweis auf die Entstehung der Offenbarungsrede oder Apokalyse überhaupt vermuten dürfen. Die bloße, im Vertrauensbekenntnis geäußerte Gewißheit, *daß* Jahwe einmal seine jetzt unsichtbare Herrschaft sichtbar machen will, genügt mit der Zeit nicht mehr. Und ebensowenig genügt der Aufweis der Differenz zwischen menschlichem Verstehen und göttlichem Vermögen, um die Situation des Nebeneinanders von Klage und Vertrauensbekenntnis auf die Dauer durchzuhalten (Hiobsdichtung). So kommt es zu einer denkenden Durchdringung dieser verborgenen Herrschaft Gottes; dazu gehören die Beobachtung von Zeichen ihres Nahens, Entwürfe des Endgerichts, anthropologische Erwägungen über die Möglichkeiten des Menschen zum Guten und zum Bösen hin, Spekulationen über die Theodizee usw. Während also in Qumram nur deutlich ist, *daß* ein und dieselbe Gemeinde nachkultische Psalmen betet und gleichzeitig apokalyptische Entwürfe ausarbeitet, zeigt IV. Esra, *wie* beide Größen zusammenhängen. Nur am Rande sei noch erwähnt, daß Esra am Schluß der Offenbarungsserie, die an ihn ergeht, entrückt wird – in der Entrückung bei Gott erwartet er das nahe Weltende.

Das vierte Esrabuch gehört bereits in den zeitlichen Kontext des Urchristentums. Der theologische Mutterboden, auf dem dieses Urchristentum Gestalt gewonnen hat, ist durch die aufgewiesenen Elemente des Nachkultischen bestimmt.

IV Schlüsse

1. Im Kult erlebt der Mensch die Einheit seines außerhalb von ihm selbst liegenden Ursprungs und seiner selbst, die Einheit von Erwartung und Erfahrung, die Einheit von einzelnem und Gemeinschaft. Man darf freilich nicht der Versuchung erliegen, den am Kult teilhabenden Menschen im Paradies wohnhaft zu denken. Daß Beschwörungen, Klagerituale usw. existieren, beweist zur Genüge, wie nötig die dauernde Auseinandersetzung mit den lebensfeindlichen, chaotischen Kräften ist. Aber die wohlorganisierten göttlichen Mächte und ihre menschlichen Statthalter werden mit dem Chaos fertig; die Einheitserfahrungen, von denen die Rede war, sind zwar gefährdet, kommen im einzelnen immer wieder abhanden, sind aber im ganzen doch unerschüttert. In seinem kultischen Handeln wird der Mensch, wozu er bestimmt ist; und dieses kultische Handeln wiegt alles andere Handeln des Menschen, in dem er sich selbst verpaßt, auf.

Die Unterscheidung zwischen Kosmos und Chaos wurde in der Einleitung als Grundunterscheidung des Kultus (zumindest im Alten Orient) genannt. Diese verschafft dem Menschen eine eindeutige Orientierung: Die Welt ist gegliedert als ein Gefüge von aufeinander abgestimmten Kräften, die sich in Göttern manifestieren, oder, wie im vorexilisch-kultischen Israel, in der Ordnungsmacht des Gottes Jahwe. So ergibt sich für den Menschen die Möglichkeit einer Existenz, die Gott, der Welt und ihm selbst angemessen ist.

2. Der Verlust des Kultus bedeutet den Verlust dieser grundlegenden – vielleicht sogar notwendigen – Erfahrungen. Die Einheit der Orientierung zerbricht: Der Welt angemessenes Verhalten muß nicht mehr unbedingt Gott angemessen sein; und was also letztlich dem Menschen angemessen ist, wird strittig. Andere Unterscheidungen als die zwischen Kosmos und Chaos gewinnen zentralen Stellenwert im religiösen Zugang zur Wirklichkeit. Da ist einmal die Unterscheidung zwischen *Diesseits und Jenseits* zu nennen: Es entstehen Entwürfe einer Gegenwelt, in welcher die göttlichen Ordnungen gelten, und die insofern orientierende Funktion haben für den Menschen, welche aber in unüberbrückbarem Widerspruch zur alltäglich erfahrenen Wirklichkeit stehen. Die Ausgestaltung des Jenseits läßt viele Spielarten zu; neben räumlichen Konzeptionen (z. B. in der Gnosis) stehen zeitliche (in der Apokalyptik). Die Grundfunktion dieser Gegenwelten bleibt jedoch stets dieselbe. In engem Zusammenhang damit wird *zwischen Gott und der Welt* unterschieden. Zwar hatte man noch nie Gott und die Welt identifi-

ziert (auch in polytheistischen Zugängen zur Wirklichkeit sind die Götter viel mehr als einfach »Personifizierungen« von Aspekten der Welt), wohl aber dachte man Gott und Welt in grundsätzlicher Analogie (und das gilt auch für das kultisch-vorexilische Israel). Mit dem Zusammenbruch des Kultus zerbricht die Analogie: Gott und Welt sind vollständig voneinander zu trennen, der *eine* Gott steht der *einen* Welt gegenüber (man könnte von der monotheistischen Unterscheidung sprechen). Schließlich spielt die Unterscheidung *zwischen der Nähe und der Ferne Gottes* eine zentrale Rolle. Zwar hatte man im Alten Orient schon immer zwischen nahen und fernen Göttern unterschieden, doch nur in Grenzfällen hatte sich an dieser Stelle ein Problem gezeigt, etwa dann, wenn ein Staatswesen in einer militärischen Katastrophe zusammenbrach, was als Versagen der nahen, für die Lebensordnungen verantwortlichen Götter und als Unheilswille der fernen, im Hintergrund wirkenden Gottheiten interpretiert werden konnte. Jetzt aber ist die Nähe und Ferne, das Offenbar-Sein und die Verborgenheit Gottes zu einem zentralen Problem eines religiösen Zugangs zur Wirklichkeit geworden: Erst die Bearbeitung dieser Problematik gestattet es, von Gott in einer anscheinend gottlosen Welt zu reden. Im Neuen Testament und im Christentum überhaupt ist hier die zentrale religiöse und theologische Erfahrungsdimension angesiedelt.

3. Die genannten Verschiebungen von kultischer zu nachkultischer Erfahrung führen natürlich nicht nur zu einer anderen Konzeption Gottes, sondern auch zu neuartiger Selbst- und Welterfahrung. Das Erlebnis ständiger Diskrepanz zwischen dem, was man von der eigenen Existenz erwartet und dem, was man in ihr faktisch vorfindet, schärft die Selbstbeobachtung, die Selbstkritik und überhaupt die Selbstreflexion. Die entgöttlichte Welt kann in widergöttlichem Licht erscheinen oder aber zum verfügbaren Objekt des Menschen herabsinken; in jedem Fall wird sie zu einem eigengesetzlichen Bereich, dem der Mensch in Distanz gegenübersteht.

Man wird alle diese Verschiebungen nicht eindeutig als Fortschritt oder als Verschlechterung für den Menschen beurteilen dürfen; sie sind ambivalent. Jedenfalls wird der Zusammenbruch des Kultus als Verlust erlebt, und der nachkultische Gottesdienst, als dessen Zeugnisse wir manche Psalmen kennen gelernt haben, sieht sich entsprechend nur als mehr oder weniger deutliche Widerspiegelung dessen, was im Kult volle Gegenwart gewesen war. Andererseits lebt dieser Gottesdienst von der Hoffnung auf einen Zustand, in welchem die Einheit zwischen Gott, Mensch und Welt wiederhergestellt werden wird. Dabei rechnet man freilich keineswegs mit einer bloßen Wiederkehr der Vergangenheit, die sich ja als untauglich erwiesen hatte, sondern mit deren qualitativer Überhöhung.

4. Von den Grundvorgängen dieses Gottesdienstes war ausführlich die Rede. Zunächst geht es darum, die Offenbarung Gottes, welche die Orientierung verschafft, zu entfalten; dies geschieht einerseits in den Apokalypsen, welche den Übergang von der diesseitigen chaotischen zur jenseitigen lebensschaffenden Welt anzeigen, andererseits in der Sicherung eines Weges durch diese Welt mittels Regeln, Geboten und Vorschriften. Dann aber geht es um die Einweisung in den Bereich des durch die Offenbarung geklärten Lebens, sei es in Form der Unterweisung des anderen oder der eigenen Vergewisserung des jenseitigen Heils.

Alle diese Vorgänge sind gezeichnet durch das Leiden am Verlust des Kultus; sie vermögen nicht zu leisten, was ehemals die Kultvorgänge geleistet hatten, sie erschließen nicht die volle Gegenwart Gottes. Die Vergewisserung der verborgenen Herrschaft Gottes ist stets von der Anfechtung begleitet. Die Forderungen Gottes sind nicht lückenlos zu erfüllen – symptomatisch ist die Vorstellung, daß die Gottesherrschaft anbrechen würde, wenn Israel auch nur einen Tag alle Gebote der *tôrā* erfüllen würde. Die Apokalypsen schließlich führen an die Grenze menschlichen Fassungsvermögens und finden entsprechend keine allgemeine Anerkennung. Gottesdienstliche Vorgänge dieser Art haben ihren Ort in der Gemeinschaft einer Minderheit, welche ihre Weltdeutung gegen andersartige und viel selbstverständlichere Weltdeutungen durchhalten muß.

5. Bereits im 1. Kapitel wurde festgehalten, daß kultischer und nachkultischer Zugang zur Welt nicht einfach ein zeitliches Vor- und Nachher bedeuten. Beide Möglichkeiten religiösen Verhaltens bestehen gleichzeitig nebeneinander, wenngleich in ganz unterschiedlicher Gewichtung. Das Exil hat in Israel gewiß einen gewaltigen Umbruch bewirkt, die Geschichte hat die kultische Wahrnehmung der Wirklichkeit verunmöglicht – aber doch nicht auf Dauer völlig beseitigt. Nach dem Exil baut sich Israel einen neuen Tempel und richtet sich einen neuen Gottesdienst ein, der für manche Kreise analoge Qualität hatte wie ehedem der Kult des vorexilischen Heiligtums. Die Chronikbücher sind ein Zeugnis derartiger Frömmigkeit. Leider läßt sich überhaupt nicht ausmachen, welchen Stellenwert diese Rekultisierung im Rahmen des nachexilischen Israel insgesamt hatte. Jedenfalls hat der Kultus nie wieder die Bedeutung erlangt, die er ehedem innegehabt hatte. Immerhin: Auch in nachexilischer Zeit bestehen kultische und nachkultische Frömmigkeit

nebeneinander. Vielleicht sind beide Spielarten religiöser Weltdeutung aufeinander angewiesen; ein analoges Nebeneinander ließe sich auch außerhalb Israels, z. B. im europäischen Christentum mit seinem Nebeneinander der klassischen katholischen und protestantischen Gottesdienstformen, nachweisen.

6. In der Einleitung wurde dargestellt, daß sich der Kultus verschiedener Darstellungsformen bedient, von denen die Sprache nur eine Möglichkeit darstellt. Dies verschiebt sich im nachkultischen Gottesdienst; die Sprache bildet das einzige Darstellungsmittel, welches die eigentümliche Spannung der jetzt aktuellen religiösen Situation zum Ausdruck bringen kann: Gott ist ja nicht eindeutig präsent, ihm eignet nicht die reine Gegenwart; die lebensschaffende Orientierung ist nicht evident usw. (hier ist an alles zu erinnern, was im Zusammenhang mit den neuen grundlegenden Unterscheidungen der nachkultischen Zeit zu sagen war). Allein die Sprache vermag Gegenwart von Zukunft, Sein von Sollen, Wirklichkeit von Unwirklichkeit und Möglichkeit zu unterscheiden. So treten die anderen Darstellungsmittel des religiösen Symbolsystems in eine dienende Funktion zurück.

Wieder wären aufschlußreiche Vergleiche mit christlichen Gottesdienstformen möglich. Die katholische Messe als eher kultischer Typus, der die Gegenwart Gottes im Sakrament voll erschließt, kennt neben der Sprache als (zwar nicht theoretisch, wohl aber praktisch) gleichwertige Darstellungsmittel die Handlung, visuelle Elemente usw. Der protestantische Gottesdienst dagegen ist ganz auf das Wort konzentriert – die Elemente der nachkultischen Literatur kehren auch hier als Grundvorgänge wieder: Die Lehre, die Einweisung in die Glaubenshaltung; und die Vergewisserung. Alles andere hat daneben nur sekundären Stellenwert.

7. Parallel mit dem Phänomen des Nachkultischen ist das des Nachweisheitlichen zu betrachten. Die Weisheit gerät in eine Krise, die der des Kultus analog ist: Geht sie ursprünglich davon aus, daß der Welt eine Ordnung innewohnt, die es aufzusuchen und in die es einzuweisen gilt, so schwindet dieses Weltvertrauen tendenziell im Verlauf der israelitischen Geistesgeschichte. Wiederum ist, wie im Hinblick auf kultischen und nachkultischen Zugriff auf die Welt, zu präzisieren: Es handelt sich nicht um ein bloßes zeitliches Vor- und Nacher, die unter Punkt 5 angestellten Überlegungen sind hier analog zu bedenken.

Weil die Ordnung der Welt nicht mehr selbstverständlich ist, muß sie ausdrücklich behauptet und postuliert werden; und diese behauptete und postulierte Ordnung wird identifiziert mit der Ordnung, die der kultische Zugang zur Welt nicht mehr unmittelbar vermittelt, sondern glaubt und erwartet. Sind Kult und Weisheit komplementäre Zugänge zur Welt, so kommt es im Bereich nachkultischer und nachweisheitlicher Tradition zur Annäherung. Vergewisserung und Unterweisung markieren Vorgänge, welche gleichzeitig kultische wie weisheitliche Lebensvollzüge aufnehmen und weiterführen.

8. Nachkultischer und nachweisheitlicher Umgang mit der Welt bedeutet eine Distanzerfahrung in mehrfacher Hinsicht: Distanz zu den überkommenen Sinnvermittlungsmechanismen; Distanz zu den ehemals selbstverständlich gültigen Werten und Normen; Distanz auch zum eigenen Standort. Das Weltbild, das bis dahin ganz auf die eigene Lebensgemeinschaft hin zentriert gewesen ist, unterliegt einer Dezentrierung: Der Kultort ist nicht mehr selbstverständliches Zentrum der Welt usw.

Dies alles bedeutet, daß Raum frei wird für die Reflexion. Der Mensch beginnt, mit der Möglichkeit geringerer oder größerer Distanz über seine Welt und sich selbst nachzudenken. Die religiösen Überlieferungen werden dadurch einer rationalen Bearbeitung unterzogen, wie sie bis dahin nicht möglich gewesen war.

9. Das Urchristentum lebt in derselben nachkultischen Situation wie das mit ihm zeitgenössische Judentum. Alles, was an kultischen Kategorien überliefert ist, wird jetzt mit Jesus in Zusammenhang gebracht, und zwar in der Weise, daß bei Jesus die Merkmale des Defizits nachkultischer Zeit ausgeräumt sind; Jesus geht als Gerechter das diesem bestimmte Leiden bis zum Ende, und in seiner Auferstehung dokumentiert sich der Anbruch von Gottes Herrschaft (Markus); Jesus erfüllt das Gesetz vollständig (Matthäus); in Jesus wird die Gerechtigkeit Gottes wieder offenbar (Paulus); Jesus ist der Hohepriester, der die endgültige Versöhnung zustande bringt (Hebräer) bzw. das endgültige genügende Sühnopfer usw.; die Liste der einzelnen Deutekategorien kultischer Herkunft könnte noch um einiges verlängert werden. Jesus hat die Defizite des Nachkultischen nach dem Bekenntnis des Urchristentums überwunden.

Die christliche Gemeinde hat demnach in ihrer Bewältigung der nachkultischen Situation (der sie durchaus nicht enthoben ist) eine neue Orientierung. Gemeinschaft mit Gott, heilvoll geregelter Umgang mit der umgebenden Welt und Zusammenfallen von Erwartung und Erfahrung werden jetzt an Person und Werk Jesu abgelesen, wobei einerseits die kultischen Denk- und Erfahrenskategorien das Verstehen Jesu möglich machen, andererseits Jesus diesen kultischen Verstehensweisen neue Verbindlichkeit und Konkretion im nachkultischen Raum verleiht.

10. Wenn man als Ziel menschlichen Handelns heute gern »Selbstverwirklichung«, »Identitätsfindung« o. ä. nennt, so hängt dies eng mit der Intention des Kults zusammen, wie sie hier skizziert wurde; denn solche Selbstfindung setzt eine Harmonie des Lebens als Ziel und als Möglichkeit voraus, wie der Kult sie verspricht. Der Kult hat sein Versprechen nicht halten können; vielmehr ist er im Lauf der Menschheitsgeschichte als eine Weise des Menschen, die Wirklichkeit religiös zu bearbeiten, eher zurückgetreten. Man sollte dies weder als Abstieg noch als Fortschritt qualifizieren; jedenfalls zeichnet sich eine Entwicklung zu schärferer Beobachtung der Wirklichkeit und deutlicherer Formulierung derer Widersprüche ab. Dies erleichtert das Erleben einer harmonischen Welt gewiß nicht.

Der Kult vermittelte die religiöse Stiftung einer Welt, in der der Mensch mit Gott und der Welt in Harmonie lebt. Die heutigen Schlagworte wie Selbstverwirklichung versuchen dasselbe auf säkulare Weise, gewissermaßen selbstgenügsam zu leisten. Dies läßt zusätzlich an der Tragfähigkeit solcher Zielsetzungen und der dorthin angebotenen Wege zweifeln.